炎上する君

西 加奈子

角川文庫
17680

もくじ

太陽の上

あなたは、太陽の上に住んでいる。

空で活躍している、あの太陽ではない。「太陽」という名の、中華料理屋である。「太陽」の上は、アパートになっている。茶色い「レンガ風」のタイルを貼った小さなコーポ、上から見ると台形の形をしており、各階にひとつずつしか部屋がない。二階が二〇一号室、三階が三〇一号室、それだけだ。

家主はふたつ向こうの駅に住んでいる。この建物には、元々、コーポなにがし、という名前がついていたが、家主はこの建物の他に、数件の素晴らしい物件を持っているおじいさんで、コーポの名前を、いまいちはっきりと覚えていない。なので、建物のことを「あの太陽」、そして、その上に住んでいる住人のことを「太陽の上の連中」と、呼んでいる。他の物件のことは、「あのねずみ色の三階建て」、「公園の隣の二階建て」などと、そっけない呼び方で呼ぶので、つまり彼は、「太陽」を愛しているのである。

その土地に開店して、もう二十年ほどになる「太陽」には、熟れすぎた柿のような顔をした大将と、今にもはちきれんばかりの白桃のような体をした、可愛らしい女将《おかみ》さんがいる。

「太陽」は大変繁盛しており、女将さんの肌も、四十歳を過ぎた女性に思えないほど、ぷるぷる、いきいきとしていた。彼女は数年間、夫とのセックスレスに悩んでいたが、ある日、悩むことに飽きた。そして、アルバイトの男の子を誘惑することに、精を出すことにした。

誤解を恐れず言うと、中華料理屋のアルバイト、重い中華鍋《なべ》を振ったり、大量の油を流しいれたり、ニンニクを刻み続けたりする、そのようなことを望む十代後半から二十代前半の男の子は、並外れて性欲の強い人間か、そんな気持ちなど母親の腹の中に置いてきてしまった、というような淡白すぎる人間のふたつに、分かれがちである。

女将さんの魅力か、この地域の特徴か、「太陽」には前者タイプのアルバイトばかり集まった。そういう点で、女将さんは苦労しなかったのだ。大将はアルバイトに任せる配達を、気まぐれに引き受けるときがあり、また、休憩時間には、競馬新聞やスポーツ新聞を持って、近所の公園へ出かける、ということを日課にしていたので、その時間を作ることにおいても、彼女は苦労しなかった。そして、彼女の相手は大概が、いざとなったらあっという間にコトを終えることが出来るタイプでもあったので、隠《いん》蔽《ぺい》の点においても、苦労しなかったのだ。

アルバイトの男の子たちは数回代わったが、彼女は彼らとの関係を、あとくされなく終わりにすることが出来た。十代や二十代の彼らにしてみても、四十を過ぎた彼女は魅力的ではあったが、彼らには、もっと広い世界があった。新しく作った彼女や、酔っ払わせて自室に連れ帰った女の子たちに、彼らはいとも簡単に夢中になり、アルバイトをやめると言った自分を、にこやかに送り出してくれる女将さんに、感謝さえした。

時々、性欲を抑えきれなくなった元のアルバイトの男の子が、「懐かしさにふらりと立ち寄ったのだ」というふうに「太陽」にやって来て、大将が作った肉野菜炒《いた》めや胡麻《ごま》坦々麺《たんたんめん》を食べながら、女将さんに意味深な目線を送ることがあったが、女将さんは、彼らの誘いには、決して乗らなかった。彼女には、性交の相手は「太陽」に所属している人間、彼女の肉体が目当てで来たのではなく、「太陽」が目当てで来た人間を選ぶ、という、彼女なりのルールがあった。

つまり、彼女もまた、「太陽」を愛しているのである。

二〇一号室には、「太陽」の夫婦が住んでいる。そこは、女将さんとアルバイトの男の子との、逢引《あいびき》の場所にもなっている。つまり、「太陽」に「休憩中」の札がぶら下げてあるときは、余った食材で作ったまかないを皆で食べているときか、女将さんが二〇一号室で性交に励んでいるときなのである。前者のときは分からないが、後者のときは、それと分かる。彼女らの声は、階上まで届くからだ。

あなたは、三〇一号室に住んでいる。

初めてその声を聞いたとき、あなたは驚いた。しかし、徐々にそれにも慣れ、昼日中にお盛んなことで、と、女将さんの立てる冬眠から覚めたクマのような声を、聞き流す余裕を持つことが出来た。暇なときは、彼女の立てる声を、ノートにメモしてみたりもした。あなたのノート、赤いチェックのそれには、こんな言葉が書かれている。

『そこ　ほら　きええ　だめ　あら　もう　そんな　よいしょ　どりゃー』

あなたはそのノートを、眠る前、枕元に置くことにしている。

あなたは三年前から、外に出るのをやめてしまった。三年前のあなたは、とても、疲れていた。その疲れのため、選択する、ということを、面倒くさい、と思うようになった。

世界は「選択」の連続である。切符を入れるのはどの改札にしようか、何両目に乗ろうか。珈琲《コーヒー》を買う？　それともミルクティーを？　会ったことのある人がいるが、声をかけるべき？　知らないふりのほうがいい？　プレーンベーグルにするか、ブルーベリーベーグルか？　今度の日曜は家でゆっくりする？　それとも野球でも見に行くか？　素敵な時計をした彼とデートを？　それともスタイリッシュな眼鏡をかけた彼？

人生はこういった小さな選択の連続、無意識で行っているように見えることでも、大脳が一瞬にして判断を下しているのであり、その労力ははかりしれない。あなたは、それに疲れたのだ。

初めは、洋服だった。朝起きて、歯を磨いて顔を洗って、トーストと珈琲の簡単な朝食を食べ、パジャマ代わりに着ているスウェットを脱いだ。そしてそのまま、あなたは動きを止めた。着たい服が、思い浮かばなかったのだ。何をどんなふうにはいて、どんなふうに羽織って、何デニールのタイツを選べばいいのか、全く分からなくなった。

あなたは困った。

とりあえず、先に化粧をしようと思い、そうした。あなたは数年間、化粧の前に服を着ることを習慣にしてきた。服を着る前に化粧をすると、ファンデーションの粉や口紅の油が服についてしまうかもしれないと、思っていたからだ。その簡単な、あなたにとっての当たり前の秩序を、あなたは初めて、壊した。そのことで、あなたは、決定的に困ってしまった。

呆然《ぼうぜん》としたあなたは、次に何を、次に何を、そう呟《つぶや》きながら、床にぺたりと、座り込むことになった。

あなたが座り込んだ床には、今でも、あのときのあなたがいるようだ。地面に張り付いてしまったように、あなたの影がしっかりと、そこに染み付いている。

あなたは時々、その影を撫《な》でる。三年前の、呆然として動けなかった自分を、撫でているように思う。

あなたを撫でてくれる人は、今、あなた以外には、いないのだ。

定期的に、段ボールが届く。大きな牧羊犬が一匹、すっぽり入ることが出来るくらいの大きさだ。中には、お米に混ぜて炊くだけの五穀米や、お米や、野菜やカップラーメンや、ダライ・ラマの本やユニクロのパジャマや、さんまの缶詰やらが、入っている。この段ボールのおかげで、あなたは外に出ずして、ご飯を食べることが出来るし、ときには牧羊犬の働きを想像することも、出来る。

奇特な人がいるものだ、こんな私に、などと、あなたは思うが、それはあなたの母がしてくれていることだ。あなたはそれを、忘れてはいない。いないが、そのことを真剣に考え始めると、心が折れてしまうのだ、ぽきりと。だから、この牧羊犬段ボールは、世界のどこかにいる、慈愛に満ちた誰かが、送ってくれているのだと、考える。

たとえば、ダライ・ラマのような。

三年間、外に出ないでいる生活が出来るなんて、あなたは考えていなかった。でも、出来てしまうのだから、世の中は不思議である。必要なものが牧羊犬段ボールに入っていなかったとしても、電話をしたり、パソコンのキーを数回叩《たた》けば、それはあなたのもとに届く。雑誌や本、CDとDVD、カレーのルーにお酒、冬用の暖かい布団。コンドームや性技に長《た》けた男性まで宅配してくれるサービスを知ったときは、さすがにあなたも驚いた。これでは、家に閉じこもり、出てこなくなる人が増えるのも無理はなかろう、と思った。ダライ・ラマがいる限り、「あなたたち」は、生きて行けるのだ。

注文した箱が届けられるとき、あなたはいつも緊張する。あなたはいつだってぼんやりしているので、自分が何を頼んだのか、覚えていないからだ。

SMプレイ用の道具が出てきたらどうしよう、卓上卓球セットが出てきたらどうしよう。大きなサイズのジェンガが出てきたら？　アメリカ製のツイスターは？

それらは、「誰かとやると楽しいもの」だ。

無意識で、自分が、「誰かとやると楽しいもの」を、買っていたらどうしよう、とあなたは危惧《きぐ》している。誰かを部屋に呼ぶなんて嫌だし、「誰かとやると楽しいもの」を持って、外に出て行くなんて、とんでもない。

しかし、あなたはそんな失敗をしたことは一度もないし、これからもしないだろう。

あなたの手元に届くのは、初心者向けのタロットカードだし、プレイステーション・ポータブルだし、大人用の緻密《ちみつ》な塗り絵だ。姫路城《ひめじじょう》と松本城のプラモデルだったこともあったし、プランクトン育成セットだったこともあった。

あなたは、ひとりだ。

一人分の食事を作ることなど、わけない。

今日は、白菜のカレーを作った。白菜がカレーに合うなんて、この生活をするまで、思いもしなかった。しなびた白菜はカレーに入れると、また輝きを取り戻す。ぴりりとしたターメリックの刺激の中、白菜ははっとするほど、甘い。

「あまい。」

あなたは、そっと声に出す。

自分の声を数週間聞かないことだって、ある。今、自分の口から出た「あまい」という言葉は、その言葉の意味と裏腹に、なんだか少し塩辛い響きがした。泣いているのか、と思ったが、手をやった目尻《めじり》は、かさかさと乾いている。前に泣いたのがいつだったかも、あなたは忘れてしまった。

時計を見ると、二時を過ぎている。カーテンから漏れ入ってくる光で、昼の二時であるということは分かるが、だからと言って、それがどうなのだ、と思う。朝の二時であろうが、昼の二時であろうが、あなたには関係がないのだ。三年間、目覚ましの音で起きたことがないし、見たい番組の時間を見計らってテレビをつけたことも、ない。テレビは四六時中、ついている。女将《おかみ》さんの声をメモするときだけ、あなたはリモコンに触って、音を小さくする。この間小さくしたのは、恐らく四日ほど前だ。恐らく。

あなたには、今、一切の秩序がない。誰かに決められたことをすることもないし、自分で制約を作ることもない。あなたは、あなたの部屋にいる。それだけだ。

今やあなたの部屋は、あなたにとっての子宮であり、その子宮の持ち主は、あなただ。あなたは自分の子宮の中で、自由に手を伸ばし、ごくごくと羊水を飲み、排泄《はいせつ》し、目を開いたり閉じたりする。あなたの子宮は、どこまでもあなたに優しい。


白菜のカレーは、半分以上残した。

牧羊犬段ボールの中から引っ張り出した、ユニクロの新しいパジャマを、あなたは着てみる。パイル地で出来た、パーカーとショートパンツのセットは、暑くなるこれからの季節に、ちょうどいい。顔をつけて、すうと息を吸い込むと、タオルの乾いた匂いがする。

小さな頃、あなたはタオルがないと眠れない子供だった。猫のキャラクターがプリントされた水色のタオルは、あなたが持つとバスタオルほどの大きさになったが、母が持つと顔と首を拭《ふ》く程度の大きさにしかならなかった。あなたはそれをいつも抱きしめ、口にくわえ、ちゅうちゅうと吸いながら眠りについた。夏はタオルケットをかぶりながら、冬は毛布の下で、あなたはいつも、そのタオルを握っていた。タオルは唾液《だえき》にまみれ、少しすっぱい匂いがしたが、その匂いがまたあなたを安心させ、あなたはいつまでも眠っていられた。

体を通すと、まだ少し硬い生地が、きしきしと音を立てた。露《あらわ》になった太ももを撫でると、脱毛をしていないそこは、ざわざわとくすぐったかった。タオルにくるまれた自分の姿を見たくなって、あなたは姿見の前に立った。掃除機と、その上に積まれた衣類やCDや古い化粧品や雑誌のために、姿見はあなたの太ももから上しか映さなかった。あなたはそれでも、姿見の中の自分を、じっと見続けた。

自分で切った黒い髪。肩までのそれはいつも、左側だけぴょんと撥《は》ねている。恋人に見せるのを嫌った化粧をしていない顔は、白くてぼんやりしているのが嫌だったが、今では化粧をした自分の顔の方が、あまりにもくっきりしていておかしいと思う。家を出なくなってから三ヶ月目くらいに、毛抜きで体中の毛を抜いて以来、脱毛を怠っている肌は、つるつるしていた頃より黒くなったように思うが、日に当たらない毎日で、焼けることはないはずだ。

タオルにくるまれた鏡の中のあなたは、不思議そうな顔であなたを見ている。あれはあなただが、あなたではない、という感じがする。違和感、というほどのものではないが、あなたは自分の顔が、鏡に映っているこの女であると、はっきりと断言出来る自信がない。あなたは、あまりにも「あなた」とだけいすぎたのかもしれない。あなたは鏡の中の自分と目をあわすことは出来るが、その目は「あなたの」目ではなく、「あなたを見ている」目であるとしか、思えない。鏡の中の女は、あなたをじっと見る。

ちっとも安心できない。タオルにくるまれているのに。

いつから、ひとりで眠れるようになったのだろう。あのタオルは、どうしたのだろうか。あのタオルは。

眩暈《めまい》がした。あなたは我慢したが、すぐにあきらめて、床に座り込んだ。急に白菜カレーの続きを食べたくなったが、それもあきらめた。一度座り込むと、なかなか立ち上がれなくなるのは、三年前からの癖だ。

あなたの影が染み付いている床。茶色くて、ひやりとする。

この三年間であなたが一番得意になったことは、あきらめることだ。

外に出ていた二十数年間は、あきらめることの難しさに、いつも苦しめられた。そんなに好きではなかった恋人を誰かに寝取られたときも、あきらめることに苦しんだし、大好きだった恋人に別れを告げられたときは、結局あきらめることをしなかった。あなたの思い出の恋人は、今のところ、彼が最後だ。

排水口に指輪を流したときも、大好きなたい焼きが売り切れていたときも、スリーポイントシュートを決めそこなったときも、あなたは地団駄踏んで悔しがった。あきらめ切れない、と嘆いた。

でも今、数々の「あきらめ切れなかった」事々を思い出し、あなたは不思議に思う。
・寝取られた恋人。それほど好きではなかったではないか、あれはただ悔しかっただけ、悔しいという気持ちは、長くても四十分ほどで断ち切ることが出来るはず。
・大好きだった人。なんていうが、顔もおぼろげだ。「大好き」って何なのだろう。「大好き」が大きいほど「あきらめ」も難しいと思っていたが、顔も忘れてしまうほどの「大好き」なら、あきらめなかった時間が勿体《もったい》ないではないか。
・指輪。なんて、指のまわりに巻きついているだけ、顔を洗うときにごつごつと痛いし、たまねぎを刻むときにいちいち取っていたのだから、いっそはじめから、ない方がいい。
・たい焼き。次の日に行ったら焼きたてが並んでいたし、そもそもそれほど美味《おい》しかったのだろうか。どうして、たいの形なのだろう。
・スリーポイントシュート。だなんて、大げさな名前がついているから、決めそこなったときに大変な失敗をしてしまったと思う、が、たったの三点、ではないか。あきらめようと努力する時間を、ドリブルに充てればよいのだ。

あきらめようとする努力のために、あなたはどれほどの時間を無駄にしたことか。あっさりあきらめる。

なかったことにする。

恋人を失ったときは、恋人など初めからいなかったと思う。指輪もたい焼きも、バスケットボールも、この世にはない。代わりに、あなたは新しい発見を手に入れる。たまねぎがなくても、白菜でカレーは美味しくなること、連絡を取る友達がいなくなるということは、もう友達を失うことがない、ということ。やかんがつぶれてしまっても、小鍋《なべ》で温めたお湯で、コーヒーは十分に美味しいこと、コーヒーがなくなっても、体内のカフェイン量が減るだけのこと。

あきらめはあなたを安心させ、眠りに誘う。あきらめはあなたにとって、今一番必要なもので、いつしか「あきらめをあきらめることが出来ない」ことになっているのだが、あなたは気づかない。

さっきからあなたは、タオルの匂いばかり気にしている。

すっぱくはない、新しいタオルの匂いを嗅《か》いで、それでもあなたは、眠くなる。

「はあっ。」

目を開けると、鏡の中のあなたが、まだあなたを見ている。ずいぶんと不自由な体勢で眠っていたようだ。無理に曲げた足が、赤くなっている。

「はあっ。」

声が聞こえる。聞きなれた声だ。「太陽」の女将《おかみ》さんだろうと、すぐに思う。女将さんの声はもはや、母の声より、ましてや何かを配達してくれる誰かの声よりも、あなたの耳に馴染《なじ》みがある。彼女の声を聞きながら眠りについたこともあるし、今のように、彼女の声で目覚めたこともある。部屋に時計はあるが、彼女の声が何より、今の時間をあなたに教えてくれるよすがとなる。「太陽」の休憩時間は、三時から五時だ。


大将はいつものように、スポーツ新聞を読みながら、公園へ出かけている。ぶらぶら歩く最中に、実は家主と擦れ違っているのだが、お互い気づかないまま通り過ぎている。ベイスターズ勝った、ベイスターズ、と、大将は小さく独り言を言いながら歩いている。サッカーは見ない。ちょろちょろと動くボールを追うのに、疲れるからだ。大将はいつもの場所でブラック微糖の缶コーヒーを買う。微糖っつうのはよく出来たもんだよな、と、また独り言を言い、大将は歩く。

精力がなくなってきたと気づいたのも、こうやってコーヒーを買って公園で休憩しているときだった。ぱらりとめくったスポーツ新聞の風俗嬢紹介のコーナー、いつも何の気なしに眺めていたそれを改めてじっと見て、大将はハタと思い当たった。最近やってねぇな。

女将さんがもぞもぞと、大将の布団に入ってくることはあった。が、大将は寝たフリをしていた。

「疲れてたんだよな。」

ただそれだけだと思っていた。でも違った。大将の「大将」は、昔のように、急に潑剌《はつらつ》としだして大将を困らせたり、甘えたような可愛らしい姿で女将さんを笑わせたりすることが、なくなった。もう何年になるのだろうか。年取るっつうのは、嫌だねぇ。

大将はベイスターズ勝利の記事を見る。微糖のコーヒーは美味しいが、長い間見ていない女将さんの裸がちらついて、なんとなく居心地が悪い。

あいつ、おっぱいでかいんだよな。

微糖のコーヒーは、段々冷めていく。

「はああっ　あらっあっ！」

赤いチェックのノートは、角が擦れて、ぼろぼろになっている。

青い色のボールペンをあなたは好んで使っていたが、なくなったので途中からしぶしぶ黒を使っている。いつも注文するのを忘れるのだ。ノートを広げたときに、ああくそ、と思い出すのだが、普段忘れているということは、それほど深刻な問題ではないのか。

しかし、真っ白いノートに青い文字がつぶつぶと並んでいる様子は、なかなかのものだった。体を寄せ合うようにして座っている文字たちは愛らしく、あなたの心を慰めた。黒い文字は、文字としてしっかりしすぎている。「間違いありません」という決意を、その体にたたえており、あなたは時々、彼らの意思の前に、しり込みするのだ。

「おほーっ、おっ、おっ、」

声の調子から、女将さんがそろそろクライマックスを迎えようとしていることを、あなたは分かっている。女将さんの声はリズミカルなものになる。そのリズムに合わせて、あなたは手拍子でもしてやりたい気分なのだが、真面目な黒い文字たちが、そうさせてくれない。

『ああ　もうそう　あああ　あ』

ノートに書かれたああ、と、あああ、の数を、百八つまで数えた。煩悩だ、と独り言を言い、あなたは笑う。今日は「あまい」と「煩悩だ」を口に出した。あなたの口は随分休んでいる。三年前、あれだけ饒舌《じょうぜつ》に話した口だ。

いや、別れたくない。あなたがすき。本当？　ありがとう。信じられない。どうして。

「あああ、あああ、あぐう、ぐう、ぐふう、あ！」

そろそろだろう。あなたは、寝転がって、耳を床につける。タオルが肌に触れる。いつから、あのタオルなしで眠れるようになったのだろう。いつから。

「ああっ、あっ。」

饒舌だったあなたの口。

ひとりにしないで。こっちへ来て。その人、誰。ウケる。やめてよー。好きだってば。

『あああああああああああああ』

耳の形が変わるほど、ぎゅう、と床に押し付ける。あなたは目をつむる。女将さんの肌に飛び散る汗や、すぅ、と息を吸い込む小さな音まで、聞こえるような気がするからだ。

小さく開けた窓から、風が入ってくる。すす、すすす、と遠慮がちに、それらはあなたの肌を撫《な》でる。もう夏だ。何度目かの夏。あなたは夏の生まれだ。だから海が好きなのよね、と、あなたは昔、誰かに話した。

海いいよー海。ビールとね。足の裏が熱くて。水着買おーよ。赤いのがいい。赤いの。

「あああ、あっ　ぐふうっ、ああ、」

タオルの匂いを、あなたはうんと吸い込む。タオルは眠りの匂いだけではない、海の潮の匂いもする。思い出す。海。あなたは夏に生まれた。

そのとき、女将さんが、ひときわ大きな声で、叫ぶ。

「あんたぁっ！」

クライマックス。初めての言葉。あなたは目を開く。大きく。あなたは、驚いているように見える。

『あんたぁ』

あなたは急いで、それをノートに書く。

『あんたぁ』

女将さんがそんなふうに呼ぶ人は、大将以外にいないのだ。

あなたは少し、震える。なぜか分からない。夏生まれのあなたたが、今日が誕生日であると思い出す。日にちは分からないのだが、なぜか強くそう思う。今日が自分の誕生日だ。

『あんたぁ』

黒い文字は、乱暴な律儀さで、あなたのノートに「それ」を教えている。「誰かとすると楽しいこと」。あなたが生まれた。女将さんの呼ぶ声。あなたの呼ぶ声。ねえねぇ。それひどいね。ごめんごめん。ありがとー。明日ね。また明日ね。

あなたは饒舌だった。

大将は微糖コーヒーを飲み終わり、やっぱり微糖はいいよなぁ、と言う。スポーツ新聞で尻《しり》をぱん、ぱん、とはたき、歩き出す。やっぱり微糖はいいよなぁ。あいつおっぱいでかいんだよなぁ。あいつ、あいつの、おっぱい。

誕生日の今日、あなたは決意する。

あなたは、部屋を出る。女将《おかみ》さんと相手はすでに、店に戻っている。もうすぐ大将が、帰ってくるのだ。

難しい話ではない。女将さんは、大将のことを、愛しているのである。「太陽」を愛しているように。

あなたはひとつひとつ、踏みしめるように歩く。三年ぶりの階段は、あなたを怖気《おじけ》づかせるが、あなたは歩く。今日があなたの誕生日だ。あなたは両親の性交で生まれた。饒舌なあなた。

あなたは降りてくる。

太陽の上から、降りてくる。

空を待つ

青梅《おうめ》街道を歩いているとき、携帯電話を拾った。

もう、朝の五時をまわっていた。深夜から早朝にかけて、外をうろうろするなんて、不審者に間違われるから、やめれば、と、両親には言われていた。アイデアに煮詰まった私がそうすることを、どこかのエッセイで読んだのだろう。それでも、私は深夜の徘徊《はいかい》をやめなかった。

私は、作家だ。

作家には、散歩をする人が多いようだ。しかし、そういう人たちは、路地や小さな道を好むらしい。人が少ないし、知らない道を見つけることが嬉《うれ》しい、という話を聞く。

だが、私はいつも大通りを通った。青梅街道、環七《かんなな》通り、中野通り。人がいてもよかったし、いなくてもよかった。

深夜から朝にかけて出歩くのは、その時間に一番「起きて」いるからであって、特にこだわりはない。ただ、深夜の大通りでは、ときおり時代遅れの暴走族のような連中が通るのが面白かったし、朝方になると、道路を掃除する黄色いトラックが通っていて、そのゆっくりした動きを見るのが、私は好きだった。

携帯電話は、何の変哲もない黒で、私の使っているものと、同じ機種だった。ストラップもついておらず、シンプルですっきりとしている。機械なのに、夜から零《こぼ》れ落ちてきたような、曖昧《あいまい》な佇《たたず》まいで、私は、それを気に入った。

開くと、空の待ち受け画面だった。

秋の空だろうか。すうっと絵の具を溶かしだような水色が綺麗《きれい》だったが、待ち受け画面にするほどの美しさは感じられない。なんの変哲もない、空の写真だ。

私は、周囲を見回した。あたりには誰もいなかったし、私の家にも、誰もいない。

そのまままっすぐ新宿方面に歩けば、鍋屋《なべや》横丁を越えたあたりに交番がある。そこに届けようと思ったが、こんな早朝にひとりで何をしているのか、とか、この書類に職業と年齢を書いて、などと言われるのが、面倒だった。

追い討ちをかけるように、まだ十代の頃、公園で拾った財布を、公園から離れた駅の交番に届けた際、どうして違う場所で拾ったのにここに持ってきたのか、公園で何をしていたのか、などと聞かれたことが思い出された。私はそのとき、当時の恋人と過ごしていたのだが、それが後ろめたいことであると思うくらいに、若かった。

だから、「空の携帯電話」を、そのまま、持って帰って来てしまった。

必要はないと思ったが、同じ機種のよしみだと、わけの分からない言い訳をして、充電をした。電話が鳴れば出てやろう、きっと持ち主だろう。

「大丈夫ですよ、預かっていますす。」

そう言えば、安心してくれるはずだ。そして、かかってこなくても、明日になればきっと交番に持って行こう。そう思いながら、眠りについた。

携帯の音で、目が覚めた。

時計を見ると、七時半だった。ベッドに入ってから、まだ一時間もたっていない。枕元に手をやると、自分の携帯は、しんと静かだ。それに、眠るときはマナーモードにしている。ぼんやりした頭で、自分が数時間前にしたことを思い出した。

充電器につながれている「空の携帯電話」を見ると、緑色に光っていた。メールが来た合図だ。メールの着信音まで一緒なのか、と思い、その偶然が、私を無防備にさせた。

私は、躊躇《ちゅうちょ》なく「空の携帯電話」を開いた。そして、受信メールを見た。

『おはよう！　ちゃんと起きてますか。』

絵文字のない文章だった。送信者は「あっちゃん」。私は一瞬考えて、「返信」を押した。

『起きてますよ。いや、これで起きました。ありがとう。』

「送信」のボタンを押すとき、とても悪いことをしているような後ろめたさがあったが、それ以上に、悪戯《いたずら》に手を染めるときの、無邪気な好奇心のほうが勝った。

メールを送信してから、私は顔を洗った。一時間も眠っていなかったが、また眠る気がしなかった。最近の私は、ずっとそうだ。何時に寝ても、必ず数時間後に目が覚めてしまう。何か、感情がひりひりと高ぶって、そこから先はどうしたって、眠れなくなるのだ。

顔を洗っている最中に、すぐにメール受信の音が鳴った。私は、歯ブラシを口に突っ込みながら、携帯電話を開いた。

『よかった、よかった！　今日もがんばろうね！』

「あっちゃん」は、すごくいい子なのだろう、と思った。それが私を嬉しくさせたし、何より、偽者である私がメールを送ったのに気付かれなかったことに、わくわくした。

「あっちゃん」は、この「空の携帯電話」の持ち主の、同僚だろうか。わざわざ朝起きているかメールをしてくるということは、恋人なのだろうか。

同僚にしろ、恋人にしろ、「今日もがんばろうね！」と言う関係であるならば、「あっちゃん」が持ち主と会うのは、時間の問題だろう。

携帯電話をなくした、と持ち主が告げたとき、「あっちゃん」は驚いて、今朝メールの返信が来たことを、持ち主に話すだろう。

「じゃあ、このメール、誰がくれたんだろう？」

怖がらないでくれればいいな、と思った。ふたりで、「なんか怖いね」と言って、そして、笑ってくれればいい。そうしたら私は、

「ちょっと悪戯をしてみたんですよ。」

などとおどけて、持ち主の元に、携帯電話を届けられるはずだ。

携帯電話を受け渡す場所には、ふたりで来るだろう。ふたりは無邪気に笑って、きっと、私が何をしているのか、年齢はいくつなのか、そういったことは聞かないだろう。私たちはお茶を飲み、談笑をして、そのまま二度と会わないのだ。

もし、ふたりが、

「せっかくのご縁ですし、連絡先を交換しませんか。」

そんなふうに言ってきても、優しく断ろう。大丈夫だ。私は、ひとりでいる。


午後から、編集者との打ち合わせだった。

打ち合わせは、いつも新宿と決めている。人が多いから好きだ。すれ違う人すれ違う人の顔をじっと見続けて、思考に完全に蓋《ふた》をしてしまう。そうなるとこっちのもので、ぶつかろうが、舌打ちをされようが、相手を木や石のように思えるようになる。私は今、完全にひとりで、ひとりぼっちで、世界を泳いでいる。そんな気になる。その思いは、部屋にいるときより、ずっと強く、深い。


「ご足労いただきまして。」

編集者は、いつも私より早く席に座っている。私のほうが年下であるのに、丁寧な態度を崩したことがない。

「いえいえ、こちらこそ。暑いですね。」

「ええ、暑いですね、体調崩されていませんか。」

「いいえ、大丈夫です。」

飲み物が来るまで、他愛《たわい》のない、無意味な会話を続ける。編集者の手元には、先週私が送った原稿が置いてある。ちらりと見ただけでも、たくさんの付箋《ふせん》がついている。直しが多いのだな、と分かって憂鬱《ゆううつ》で、しかしそれを悟られないようにして飲む珈琲《コーヒー》は、苦い。

「素晴らしい原稿を、ありがとうございます。」

編集者は、あくまで丁寧である。まるでそうしないと、私という人間が壊れてしまうみたいだ。

作品を褒めてもらえばもらうほど、その次に出てくる言葉が、私を徹底的に打ちのめすものなのだろうと、身構えてしまう。そして、その緊張感は確実に、編集者に伝わる。編集者は、普段吸う煙草を我慢している。私も、すすめることはしない。

「ただですね、この、主人公の心理描写が、少し、甘いような気がしまして。」

私は、いくつもあげられる訂正箇所を覚えることも出来ずに、また珈琲を飲む。

打ち合わせが終わり、新宿でシーツやプリンタのインクなど、必要なものを買っていると、「空の携帯電話」が鳴った。メールだ。送信者は、「あっちゃん」。

『仕事はどうでしたか？　うまくいった？』

午後五時半だ。「空の携帯電話」の持ち主は、五時ちょうどに終わる仕事に、就いているのだろうか。少し迷ったが、一度やってしまったことだ、なるようになれ、という思いで、ボタンを押した。

『いつものことだけど、結構ダメ出しされました。腐っている場合ではないのだけど、それでも、やっぱり落ち込むね。』

このメールで、私が「空の携帯電話」の持ち主ではないと、完全に気付かれるのではないか、と思った。でも私は、「送信」を押した。

一分もしないうちに、返事が来た。

『そうか、それは落ち込むよね！　でも、相手も、より良い状態にしたいから、ダメ出しをしてくれるのであって、あなたのことを見込んでのことだと思うよ！』

私は、量販店のパソコン売り場で、しばらく立ち尽くした。

「あっちゃん」が、私のメールに偶然合致した返事をくれたことは明白だ。分かっている。あくまで「あっちゃん」が返事をしているのは「空の携帯電話」の持ち主であって、私ではない。きっと「空の携帯電話」の持ち主も、今日、取引先や上司との打ち合わせがあったのだろう。

でも、あまりの符合に、私は興奮を抑えきれなかった。

『ありがとう。そうだね。よりいい作品を作るために、頑張ります。』

思い切って、「作品」と、打ってみた。

どんな職業であれ、なかなか「作品」を作る仕事はないだろう。「あっちゃん」はなんて返事をするだろうか、そう思っていると、返事が来た。

『そうだね！　素敵な作品を、楽しみにしているよ！』

私は思わず、周りを見回した。「あっちゃん」が、私のことを見ているような気がしたのだ。そんなはずはない、偶然だと、分かっている。分かっているのだが、私は「あっちゃん」の存在を、確実に感じ、それにすっぽりくるまれていた。

新宿は人が多く、私は自分が誰だか、分からなくなる。


それからも、「あっちゃん」とのメールのやり取りは続いた。


『おはよう！　起きてますか？』

『起きてるよ、というか、ずっと起きていました。最近、全然眠れなくて。』

『大丈夫？　きっと、何か思い煩うことがあるんだね。人間少しくらい眠らなくても大丈夫。今は全力で、その煩いを解決することに努めたらいいと思うよ！』

『ありがとう。』


「空の携帯電話」の持ち主からの連絡があっても良さそうだが、一向にかかってくる気配はなかった。交番に届けることも、しなかった。「空の携帯電話」を拾ってから、すでに一ヶ月が過ぎていた。


『お疲れ様！　仕事はどうだった？』

『だめです。進まない。眠れないのだからとパソコンに向かうのだけど、本当に、一ミリも進みません。もう、だめになってしまったのかも。』

『大丈夫。ダメになってしまった人は、ダメになってしまったかも、なんて思わないから。きっとギリギリの精神状態のところにいるんだろうけど、それでも、あなたは、ちゃんと、自分を持ってる。』

『そうかな。』

『そうだよ。絶対にできるよ、できる！　がんばれ！』

『ありがとう。』

気がつくと、私は、自分の携帯電話をなくしていた。お守りのように、いつも枕元や机の上に置いておいたのに、ある日、忽然《こつぜん》と姿を消していたのだ。

携帯電話をなくしてしまったら、自分はパニックになるだろうと、常々思っていた。酔って、安易に携帯電話を忘れてしまう人が、私には信じられなかった。携帯電話は、私と世界をつなぐ、唯一のツールであるような気がしていた。一日鳴らなくても、三日鳴らなくても、それが私の手元にあるというだけで、私は今きちんと、世界の一員であると、思うことが出来た。

それなのに、自分の携帯電話をなくしても、私は私でいられた。捜すことさえしなかった。仕事のメールはパソコンに届いたし、ファックスには訂正を求める原稿が届いた。「社会的な私」は、いつも通り、何の障害も支障もないまま、すみやかに生活を続けていた。

その代わり、私はいまや完全に、「空の携帯電話」を手放せずにいた。

持ち主からの連絡は相変わらずなかったが、時折襲ってくる、この携帯電話は私のものだ、という思いに、そして、すぐに湧き上がる罪悪感に、打ち勝つ必要があった。

メールを打っていると、「あっちゃん」が「空の携帯電話」の持ち主ではなく、私に向かって打っているのだと錯覚してしまう瞬間が、よくあった。どこかで私はその瞬間を望み、焦がれていた。

『今日は午前中になんとか目標まで仕上げようと思ったのだけど、どうしても出来なかった。やることははっきり見えているのに、どうしても出来ないこれは、筋トレをなまけている運動選手のような気分です。』

『終わりが見えなくて出来ないより、終わりが見えて出来ないことのほうが、きっとずっと辛《つら》いよね。罪悪感が増すというか。でも、終わりが見えた瞬間から、もうきっとそれに向かって、少しでも進んでいるんだと思うよ。大丈夫。きっと出来るから。』

『仕事をするたび、自分自身のやりたいことが、どんどん見えなくなってくる気がします。自分がやりたかったはずのことなのに、今では仕事のフィルターがかかってしまって、とても、苦しいときがある。』

『あなたは、それがやりたかったはずのことだと、わかっているから、大丈夫だよ。絶対に初心には戻れないけれど、初心では得ることが出来なかった感動や感謝を、あなたは孕《はら》んでいると思います。』

「あっちゃん」のメールは、ありきたりな、誰にでも言えるような「きれいごと」であった。他の人にそれを言われたら、鼻白んでしまうような類《たぐい》の。だが、「あっちゃん」から送られてくるそれ、その「きれいごと」こそ、今の私が、一番求めているもののような気がした。

私は、「あっちゃん」のメールを読み返し、読み返ししながら、原稿を直した。進んでは大幅に戻る、とても辛い作業だった。こんなことをして、何になるのだという思いが、たびたび私をさいなんだし、そもそも、直した原稿を、誰が待っているのだ、という絶望的な気持ちになった。だが、そんなときは、「あっちゃん」がいる、と思った。

『素敵な作品を、楽しみにしているよ！』

「あっちゃん」は私にそう「言った」。「あっちゃん」が待っていてくれるなら。そういう思いで、私はキーを叩《たた》いた。

それでも、どうしても辛いとき、私は「あっちゃん」にメールを打った。長文のときもあったし、一言、辛い、と打つときもあった。一方的な感情の押し付けは恥ずかしかったが、不思議なことに、「あっちゃん」はいつなんどきメールをしても、すぐに返事をくれた。まるで、いつでも私のメールを待ち受けてくれているようだった。当然、そんなはずないことは分かっていた。でも私は、たびたび自分をだまし、あやして、「あっちゃん」にメールを打った。

メールの着信音は、私にとって、安心を与えてくれる唯一の音になった。

「あっちゃん」にメールを打ち、返事を待つことは、毎日、水をごくごくと飲むようなものだった。あまりに自然にそれらは生活に溶け込み、でも、瞬間、その「有難《ありがた》さ」に身震いがした。

それはほとんど恋とも言うべきものであったが、私はいまだ「あっちゃん」が男であるのか、女であるのかさえ、知らなかった。

『あなたは出来るよ。今までだって、やってこれたんだから。大丈夫、大丈夫！』

「ありがとうございます！　前回の原稿より、ソフィスティケイトされた感じで、すごく、いいです！」

新宿、いつもの喫茶店で、編集者は興奮気味にそう言った。「空の携帯電話」を拾って、三ヶ月が過ぎた頃だった。

編集者が嘘を言っていないことは、目を見れば分かった。やったのだ、という達成感と安心感で、私は珈琲《コーヒー》を三杯もおかわりした。苦かったが、美味《おい》しかった。

「きっと、いい本にしてみせます。」

編集者のその言葉が、私には頼もしかった。自分以外の人の声を、久しぶりに聞いた。編集者は、「煙草、いいですか」と、私に聞いてきた。私は笑ってうなずき、編集者はとても美味しそうに、煙草を吸った。

吐き出した煙は、するすると顔の輪郭をなぞり、そのまま、すう、と、消えていった。

編集者と別れて、新宿の街を歩いた。

人がたくさんいたが、それは私を平穏にさせてくれなかった。いつものように、自分の感情に蓋《ふた》をすることが、どうしても出来なかった。

西の空が、息を呑《の》むほど、綺麗《きれい》だったのだ。

青、薄い紫、すみれ色、そして、縁取りをするように引かれた橙色《だいだいいろ》の線。

私はしばらく、歩道橋の上から、西の空を見つめていた。

深夜の徘徊《はいかい》では、昼間の打ち合わせでは、見つけられないものがある。私は、誰もいない自分の部屋を思って、少し泣いた。こんなところにはいられない、と思った。こんな、知らない人ばかりの、無関心な人たちばかりの場所にはいられない。感情に蓋をして、すれ違う人を木のように眺めて、ひとりぼっちで世界を泳いで。ひとりぼっちで。私は、ひとりでいたくなかった。

「あっちゃん」に会いたかった。

それまでにも、何度か、会いたいと思ったことはあった。どうしても書けないとき、ひとりが苦しいとき。見つけた蜘蛛《くも》の体が、目のさめるような青色をしていたとき。それでも、私はその思いを、必死で抑えてきた。

そんなことが叶《かな》うわけがない、という常識的な気持ちの裏側で、「あっちゃん」に会うなら、まっすぐな気持ちで、「あっちゃん」を見ることが出来るときに会いたい、と思っていた。世界と自分の境界が曖昧《あいまい》になっている、てらいのない自分の姿を見てほしいと思っていた。それは、今ではないか。

一度そう思うと、それが、素晴らしい思いつきのように感じられた。脱稿した解放感からか、私は自分の体が自分のものではないような、ふわふわとした快感の中にあった。夕焼けの紫や、すみれ色や橙色や、青色が、自分の体に染み入るような気がした。

「あっちゃん」、あなたのおかげで、原稿を書くことが出来た、と、会ったら言おう。

そして、ありがとう、と、きちんと言おう。

いつも、「空の携帯電話」を打つとき、「あ」の文字を押すと、予測変換で「ありがとう」と文字が出てきた。私はそれを見て、たびたび胸をつかれたものだ。

「ありがとう。」

私は、少し震える手で、「空の携帯電話」を開いた。

『西の空が、とても綺麗です。あなたのおかげで、原稿を書き上げることが出来ました。会いたい、どこにいますか。』

自分でも驚くほどの速さでそこまで打ち、送信した。

空は、刻一刻と色合いを変えている。淡い紫が濃い紫へ、そして群青へ。橙色が朱色へ。赤へ。この瞬間を、頭に焼き付けたかった。

今まで、色々なものを見逃してきた。ひとりで部屋にいるとき、世界は刻々と変わっていたのだ、きっと。私は自ら世界に背を向けてきた。私にとって、世界はいつだって遠かった。手を伸ばすことすらしなかった。

「あっちゃん」からの返信は、いつものように、すぐに来た。ブルブル、という振動を、私はいつも、どれほど焦がれたことか。

返信は、一言だった。

『私も、一緒に見ていますよ。』

すう、と息を吸い込んで、周りを見回した。

空はすでに、深い藍色《あいいろ》と、青みがかった紫に変わっている。歩道橋には、私以外、誰もいない。見下ろすと、大きな波のうねりのように、人が歩いている。

私は分かっている。私は世界に背を向けているのでも、世界から遠い場所にいるのでもない。

私は、世界の只中《ただなか》にあるのだ。

橙、紫、赤、桃色、藍、青、そんなふうに色を変える空、すれ違う見知らぬ人々、温かくて苦い珈琲、量販店の軽薄な音楽。それらこそ世界であり、私はその中で不遜《ふそん》にも生きている。ひとりだと嘆いても、手を伸ばしても、私の体は世界から抜け出すことはない、死ぬまで。私は分かっている。分かっている。

「あっちゃん」は、いないのだ。

では、この携帯電話は、「空の携帯電話」は、誰のものだろうか。

夜が落ちてくる。そろりと、素早く。私は歩く。歩く。歩く、私は、誰だろうか。

性交を繰り返すとき、私は女だ、と思う。そして、強く、女になりたい、と願う。

私は、射精する。はっきり、深く。私は男の性器を、体の中に感じる。

「ああ」と、言う。誰かが言う。誰かが。

私は男なのだろうか。それとも、女なのだろうか。忘れてしまった。

私は、誰だったのか。

私は思う。「空の携帯電話」は、私のものではなかったか。

まだ、何のてらいもなく、人を信じ、愛せた頃の、私の携帯電話では、なかったか。

自分が何ものであるかを、疑いもしなかった頃の、私の携帯電話では、なかったか。

そして「あっちゃん」は、私を、ひとりぼっちの私を愛してくれる、世界でたったひとりの、かけがえのない人では、ないだろうか。

誰かが、私を呼ぶ。

「あっちゃん。」

私は振り返る。

「空の携帯電話」を握り締めるが、それはしんと静かだ。待ち受け画面に映った空は、私が初めて見た空だった。世界に零《こぼ》れ落ちた私が、初めて見た空。

ほとんど気が遠くなりながら、私は返信を待つ。待つ。

甘い果実

昼休み、休憩室に置いてあった女性雑誌をめくっていたら、また、山崎ナオコーラが笑っていた。どきっとした。

読みたくないと思って、すぐに閉じたけれど、絶対に読んでしまうことは分かっていた。コンビニで立ったまま臍《ほぞ》を噛《か》むよりはいい、と自分に言い聞かせ、またページを開いた。

これは、モリモトチヒロのブラウスか。下半身は見えないけれど、ワンピースかも。とにかく淡い桃色の、花柄の可愛らしい服を着て、ナオコーラは、女性の生き方について語っている。

ナオコーラは、だから困る。

新作が出たばかりの頃だったら、自著についてインタビューをされているだろうから、意識して雑誌を見ないようにすればいいし、文芸誌のコーナーには、近づかなけれぱいい。でも、ナオコーラの需要は、小説だけではなくて、こんなふうに、生き方のハウトゥや、好きな映画について、あとは、著名な人たちとの対談なんかもある。

だから、今日みたいに、うっかりページをめくると、目が合うことがあって、どきっとする。

『今私は、小説を書いていることが、それを生業《なりわい》にしていることが、とても嬉《うれ》しい。』

そんな言葉が、太字になっている。私は、嬉しい、という文字を爪で引っかいた。ぎゅ、という音をたてて、傷がついた。でも、ナオコーラは、「あらあら」という顔をして、笑っているだけだ。

三度読み返していると、休憩時間が終わった。私は、しぶしぶ雑誌を置くと、立ち上がった。

持ち場に戻るとすぐに、電話が鳴った。

座る間もなく、電話を取る。

「ありがとうございます。ケイワイ書店南朝倉店の、谷崎です。」

「もしもし、今日テレビでやってた本、予約したいんですけど。」

「はい、タイトルと著者名をお願いします。」

「わかんないわ、ほら、今朝、ワイドショウで紹介されていたやつ。ソーダ色っぽい表紙の。」

「すみません、私それを見ていませんので、もう少し情報をいただけますか。」

「なんでわかんないの、今売れてるって言ってたわよ。若い作家だと思うけど。」

信じられないことだけれど、こういう電話は、頻繁にかかってくる。

私は、大型書店の事務として働いている。主な仕事は、こうやってかかってきた問い合わせの電話を、各フロアに廻《まわ》す仕事だ。著者名、タイトルを言ってもらえれば、瞬時にそれがどういうジャンルの本か判断して、科学系なら六階、文芸なら二階、というふうに、割り振る。

「著者名○○、出版社名○○、タイトルが○○、という本のお問い合わせです、お願いします。」

と、いうようにだ。

現場の人は、来店しているお客さんから同じように問い合わせを受けていたり、棚整理の真っ最中だったり、ただでさえ忙しいのに、こうやって内線を鳴らされるからキリキリしていて、挙句《あげく》、こちらが、

「著者名○○、出版社名○○、○○という本についてお問い合わせです。」

と言った本が、違うフロアの本であった場合、

「それは○階です！」

なんて、イライラした口調で、がちゃんと切られてしまう。こちらのミスだ、悪いのは分かっているけれど、けっこう、精神的にきつい。だから内線を廻すときは、確実に合っている情報と思うものでも、緊張する。

それなのに、こんな、曖昧《あいまい》な電話だ。

「今朝、桃テレビでやってたでしょう？」

この人は、すべての人間が自分と同じ番組を見ていると、思っているのだろうか。どういう思考回路で、そんな勝手なことが言えるのか。

「申し訳ありません。もう少し、情報をいただけましたら。それは、小説ですか。」

「本っつったら小説に決まってるでしょ。若い作家よ！」

文芸だから二階につなぐことは確実なのだが、こんな曖昧な情報のまま内線を廻すと、現場の人が怒るのは目に見えている。顔を合わせない人だったらいいけれど、うちの店は、事務所と更衣室が隣り合わせになっているから、仕事を終えた人たちが、嫌でも私達の前を通っていく。面と向かって注意をしてくれたらまだいいのに、無言でこちらをねめつけるように歩いていく人もいて、それが辛い。こんなことなら、忙

しくても、イライラしても、現場でのアルバイトを希望すればよかった、と思う。

では、なぜ事務の仕事を選んだのか、というと、私は、作家になりたいからだ。

ケイワイ書店南朝倉店は、日本でも有数の売り場面積を誇る。アルバイト情報誌で「事務」の募集を見たとき、私は最初、出版社や取次からの電話を受けたり、作家のサイン会の補助をしたりする仕事だと思った。これだけ大きな書店のことだ、たくさんの出版社からの電話があり、たくさんの作家が来店するだろう、とふんだ。でも、出版社からの電話を受けたからといって、ましてや、作家に会えたからといって、私の小説が世に出るとは限らない。分かっている。

出版社の人と仲良くなれたら、とか、作家の人に目をかけてもらえて、「君、小説書いてるの？　読ませて。」なんて言ってもらえるかも、などという下心もなくはなかったけれど、でも、もっと純粋に、私は「文芸」の世界に触れていたかった。

アルバイトを始めて半年、サイン会は三回あった。年配の時代小説作家である直江《なおえ》金《きん》と文素賞を取ったミ島と、料理本を出した芸人のとりとめさんだ。とりとめさんのときが、一番多く人が来た。三人とも、おとなしくて、とても、いい人たちだった。もっと偉そうにしていればいいのに、とさえ思った。私だったら、きっとそうするのに。

ナオコーラは、まだ来たことがない。

彼女がカミ賞を受賞してデビューしたとき、私は家事手伝い、という名目で、実家に寄生していた。本を読むのが好きだったし、デビューしたくて、何作か短編を書き、出版社に送っていた。親からは結婚しろ、とか、働け、などと言われていたけれど、二十六歳、恋愛や安定よりも、夢を叶《かな》えるほうが大切だった。

ナオコーラの受賞は、ネットで知った。ふざけたペンネーム、はっとするタイトル。読んでいないのに、嫌な予感がした。私は、こういうことがやりたかった、と思った。そんなこと思ったことなかったのに、急に、そう思ったのだ。

そして、彼女と私は、生年月日が、まったく同じだった。

衝動的に本屋へ行き、購入したその本を、私は一気に読んだ。ずるい、と思った。私がやろうとしていたことを、すべてやっていたからだ。先をこされた。

それから、ネットで彼女のことを詳しく調べた。出身大学、ブログ、選考委員の選評や、世間の評判。そのどれもが、私をモヤモヤとした感情の只中《ただなか》へ追いやった。

それからずっと、ナオコーラの動向を、うかがっている。

私は、三十一歳。まだ、デビューできていない。

私は塞翁《さいおう》から南朝倉まで通っている。ナオコーラの実家も塞翁だ。妹がいるのも、その妹との年齢差も、同じ。同じような境遇で、同じ生年月日、なのに、どうしてあの子は書けて、私は書けないのだろうか。

「それが才能、なんですのよ。」

受話器の向こうで、ナオコーラの声がした。はっとして、「もしもし？」と言ったら、

「もう、だから、なんとかコーラ、って名前の作家よ！」

と、女が怒鳴ってきた。

山崎ナオコーラさんの新作ですね、と言うと、女は「そうよ、それ！　どんだけ時間かかるのよ！」と、また怒鳴った。オカマの声だ、と思った。私は、受話器を乱暴に置きたい衝動と闘いながら、内線を二階に廻した。

駅に着いてから、終業のタイムカードを押していないことに気付いた。あ、と声を出したけれど、いまさら戻るのは嫌だった。

タイムカードの押し忘れは、月に三回あると、一日分の給料がもらえなくなる。どうして三回なのか分からないけれど、今月、押し忘れは二回目だ。嫌になる。私は、仕事が出来ない。それはそうだ。数年間も、家でぶらぶらと過ごしてきたのだもの。内線を間違えることもしょっちゅうだし、保留のボタンを押そうとして切ってしまうし、店のエプロンさえも、上手に結べない。

仕事をせずに小説を書いていたのだ、と自分に言い訳をしてみても、それが日の目を見ないのであったら、意味はない。山崎ナオコーラも、働きながら、カミ賞に応募した、と言っていた。仕事がちっとも出来なかった、とも。

ナオコーラは、今の私みたいに、こんな気持ちで、電車に乗ることはあっただろうか。

自分が、誰からも必要とされてなくて、そればかりか邪魔かもしれなくて、未来が見えなくて、不安で、泣きそうな気持ちで、つり革を摑《つか》んでいたことは、あるのだろうか。

「あります、よう。」

声がした方を見ると、ナオコーラが、閉まりかけた扉の向こうに、立っていた。国交鉄道職員の、緑色の制服を着ている。

「うそ、あなたは、若くして、成功して。」

そう言っている途中で、扉が閉まった。ナオコーラは、生真面目な敬礼をしてみせた。


家に帰ると、こたつの上に今日の夕飯と、マンゴーが置いてあった。そして、その横には、『あたためて食べてね』と母の字で書かれた、レモン色のメモ用紙。両親は寝ている。就寝時間が二十一時という、驚異的な早さなのだ。二階から、妹が誰かと話している声が聞こえる。恋人と長電話でもしているのだろう。

かぼちゃのコロッケとマッシュポテトとエリンギの味噌汁《みそしる》とごはんを、あたためないで食べた。よく考えたら、コロッケとマッシュポテトの組み合わせは、おかしいと思ったけれど、三十一歳の自分に、母が作ってくれたものだと思ったら、文句は言えない。全部食べると、気持ちが悪くなった。

マンゴーをどうすべきか迷って、結局そのまま自分の部屋まで持っていった。妹は、まだ電話をしている。

パソコンを開いて、ナオコーラのブログをチェックする。今日、今子駅《いまこ》で駅員をやってみました、と書いていないかと思ったけれど、書いていなかった。代わりに、今日は、「チョウジョウ」という雑誌で、作家の晴光晴《はるみつはる》と対談をした、と書いてあった。対談をしたことは書いてあるのに、「敬礼」。ああ、やっぱりいたんだ、と、思った。腹が立った。日記のタイトルは、気まぐれに国交鉄道職員をやったことは、そして、私に向かって声をかけたことは書かないなんて、納得がいかなかった。

頬杖《ほおづえ》をつくと、マンゴーに肘《ひじ》が当たった。ロロ、と音がする。

腹立ちまぎれに、マンゴーを乱暴に転がすと、机の上で、「ロロロロロロ」と、音を立てた。

「あんたは、もっと熟れるのを、待ったほうがいい。」

そう呟《つぶや》くと、妹が隣の部屋から、

「えー？　なにー？」

と言った。

「なんにもないよ。」

と答えた後、私には本当に、なんにもない、と思った。寂しかった。

桃テレビで紹介されたことへの反響が大きかったのか、次の日も、ナオコーラの本の問い合わせの電話はかかってきた。昨日のオカマみたいな、無茶なことを言う人はいなかったけれど、私は、終始不愉快だったし、内線を文芸のフロアに廻《まわ》して、こちらが「山崎ナオ」くらいまで言ったあたりで、文芸担当の人が「はいはいはい替わって！」と怒鳴るのにも、腹が立った。

ナオコーラは、売れている。

ナオコーラは、皆に必要とされている。

私には、夜、長い電話をする人も、いない。


お昼は、近くの公園へ行った。休憩は四十分だ。菓子パンを食べて、缶コーヒーで流し込むと、三十五分間は暇だった。

休憩室には、いたくなかった。また失敗をしたからだ。お客さんからの電話を、内線でつなぐとき、フロアの人が「大丈夫」と言う前に切ってしまい、電話自体が切れた。お客さんはかけなおしてきて、随分と怒ったたし、その怒りを私だけに向けてくればいいものを、フロアの店員さんへもぶちまけた。よりによって、その人は、文芸のフロアでも、一番「こわい人」だった。

いつもなら、早めの休憩時間は他の人に譲るのだけど、今日だけは、最初に行かせてもらった。一分たりとも、事務所にいたくなかったのだ。いつ、「こわい人」が事務所まで乗り込んでくるか分からない。でも、こうやって、公園に逃げていても、休憩時間は必ず終わり、私は職場に戻って、「こわい人」が来るか、また嫌な電話がかかってくるか、怯《おび》えなければいけないのだ。

このまま、家に帰ろうか。

そう思うと、どうしたって、戻るのが嫌になってきた。

何も言わずに辞めても、お給料はもらえるのだろうか。振込みだから、大丈夫か。タイムカードを押さずに帰るのは、今日で三回目ということになるから、一日分はカットされるけれど、それくらいは仕方がない。今日は、二時間ほどしか働いていないのだ。

よし、辞めよう。家に帰って、こたつに入って、マンゴーを転がそう。

ロロロロロ。

落胆する両親の顔が浮かんだけれど、もう、私は歩き出していた。ごめん、おかあさん、おとうさん。また仕事探すから。ううん、それより、早く小説を書き上げて、賞に応募して、それで、成功した作家になるから。ナオコーラみたいに、トークショウに呼ばれたり、雑誌で著名な人と対談をしたり、モリモトチヒロの可愛い服を着たり、するから。

空き缶を公園のゴミ箱に放り込みながら、思った。

そうなんだ。私は、結局、ナオコーラの華やかな部分に憧《あこが》れているだけ。注目を集めたり、いろんな人に会ったり、そんな風に、誰かに必要とされたいだけなんだ。ナオコーラだって、簡単にカミ賞を取ったわけではないし、今だって、ゆうゆうと文芸の世界を泳いでいるわけではない。私が知らない、誰も知らない、たくさんの大変な思いをしているのだ。ひとりで。私と同い年の人間が、あんな、若いときから、ひとりで。それは、分かっている。

分かっている。


地元の駅に降りると、まだ夕方の気配すらしなかった。

どうせ辞めたのだから、堂々と帰ればいいのに、いつも両親が眠ってから帰る私が、夕方にのうのうと家に入るのは、まだ出来ない、と思った。リストラされたサラリーマンのような気持ちだ。私は、仕方なく、駅の反対側の、少し丘になっている公園へ向かった。

途中、百円の自動販売機でカフェオレを買った。普通のコーヒーを買おうと思っていたのだけど、同じ百円なら、なるべくカロリーが高いほうがいい、と思ったのだ。

こういう生活がしばらく続くのだろう、という予感、すぐに仕事を探す気がない自分の魂胆に気付いて、わびしくなった。

公園では、ひとりの女の子が、逆上がりの練習をしていた。

私は、ベンチのひとつに腰掛けて、うやうやしく、プルタブを引いた。

女の子は、ふらりとやってきた私を意識してか、逆上がりが成功するたびに、こちらを見てくる。ピンク色のパンツを丸出しにして、空を駆け上がるように回る女の子は、とても勇ましかったが、いちいち振り返るその視線が、うるさかった。

上手だね。そんなふうに言ってあげればいいのだろう。あの子は、きっとそれを期待しているのだ、と分かっているけれど、思えば思うほど、ひねくれた気持ちになる。絶対に声をかけてやるものか、と、思う。

褒められたいのは、私のほうだ。

何でもいい。誰でもいいから、私を褒めてほしかった。

「あなたの小説、素晴らしいね。」

そうじゃなくてもいい。そんなことは、望まない。

「その黄緑色の靴下、可愛いね。」

「髪の毛が真っ黒で、綺麗《きれい》だね。」

何でもいい。何でもいいのだ。誰か、今、ここに座っている私を、褒めてほしい。夕焼けを見て、泣いている私を、褒めて。褒めて。褒めて。

女の子は、数回目の逆上がりを終えると、声をかけない私に見切りをつけて、帰って行った。彼女の不在さえ、私には、辛《つら》かった。

カフェオレは、甘い。その甘さだけが、私に優しい。私は、声をあげて泣いた。

結局、公園には、四時間もいた。

太陽が、完璧《かんぺき》に沈むのを見たのは、初めてだった。帰宅時間には早いけれど、もうギブアップだ。両親には、気分が悪かったから早退した、とでも言おう。それとも、もうあっさり、辞めたのだ、と、言ってしまおうか。

街灯の明かりで、道路に電線の細い影が出来ている。その黒い影の上を、踏み外さないように、綱渡りのように歩いた。なるべく、時間をかけて家に帰るつもりだった。そうやって歩いているうちに、本気になってきた。この綱を踏みあやまれば、死ぬ、ということにして、私は慎重に、本当の綱渡りのように、両手を広げ、バランスを取りながら、歩いた。

数十メートル歩いたところで、綱の上に、大きな黒い塊が見えた。影の大きさからして、鳩や、カラスの類《たぐい》ではない。綱渡りの邪魔をされたことが、憎かった。

見上げると、街灯が逆光になって、眩《まぶ》しい。よくよく目をこらすと、どうやらそれは、人間だった。

「その黄緑色の靴下、可愛いね。」

ナオコーラが、電線に座って、こちらを見下ろしていた。

「髪の毛が真っ黒で、綺麗だね。」

ナオコーラは、国交鉄道職員の制服の代わりに、私がケイワイ書店南朝倉店に置いてきた、エプロンを巻いていた。下から見上げていても、似合っているのは分かった。

「他には？」

私は、ナオコーラに向かって、そう問いかけた。

「ねえ、もっと褒めて。」

ナオコーラは、足をぶらぶらさせながら、

「わかんない。じゃあ、小説読ませて。」

と言った。落ちてしまうのじゃないかと、ハラハラした。

「本当？　読んでくれる？」

必死だった。首が痛むほど、ナオコーラを凝視した。すがるような気持ちだった。

「いいよ。」

ナオコーラは、そう言うと、エプロンを羽にして、飛んでいった。

私が辞めてから、というより、ばっくれてから二ヶ月後に、ケイワイ書店南朝倉店で、ナオコーラのサイン会があるのを知った。私は、散々迷って、変装して、それに行くことにした。

あの夜、ナオコーラが私の小説を読んでくれる、と言ってから、私は怒濤《どとう》の勢いで、自分の小説を書き上げた。傑作だ。それを持って、ナオコーラに会いに行くのだ。

変装は、マンゴーにした。黄色い髪の毛にして、黄色い服を着て、甘い匂いをさせた。これなら、誰も気付かないだろうと、思った。

サイン会には、たくさんの人が来ていた。若い女の子、男の子、おじさん、おばさん、小さな女の子。私は、マンゴーの甘い匂いをさせて、その列に並んだ。アルバイトの人も、店長も、「こわい人」も、誰も、私だと気付かなかった。成功だ。給料も振り込まれていたし、いい本屋だな、と、ゲンキンなことを思った。

ナオコーラは、ひとりひとりと話をしながらサインをしているようだ。整理番号が七十九番の私まで回ってくるのに、一時間以上かかった。

私の前には、体の大きな、女の恰好《かっこう》をしたおじさんが待っている。声を聞かなくても、非常識な電話をかけてきた、あのオカマだと分かった。あんまり大きいから、ナオコーラが見えない。それでも良かった。私は、原稿とナオコーラの新作を抱きしめ、オカマとナオコーラが話し終えるのを、待った。

オカマが目の前から去ったとき、私は、緊張のあまり、目をつむっていた。いつも会っているナオコーラだけど、小説を渡すとなったら、話は別だ。

「こんにちは。」

それは、低い声だった。

目を開けると、テーブルの向こうに、サインペンを持った男の人が座っていた。

「え。」

男の人は、恐ろしいほど綺麗だった。均整の取れた卵形の顔、少し奥まった、大きなアーモンド形の瞳《ひとみ》、すう、と通った鼻筋と、つやつやと健康そうな桃色の唇。髪の毛は肩くらいまであって、ゆるやかにカールしている。真っ黒いスーツを着て、サインをするためか、右袖《そで》だけまくりあげていた。腕には、ぴ、と力強い血管が走っていて、ペンを持つ右の指は、形が整っている。その先についている爪は、水中の桜貝みたいに、きらきらと光った。

「山崎ナオコーラです。」

男の人は、そう言った。

私は、わけが分からなかった。この人が、山崎ナオコーラ。じゃあ、あの、インタビュー記事の女の子は？　私は、ぽかんと口をあけたままだった。

「分かりますよ。驚いたでしょう。でも、僕が、山崎ナオコーラです。」

手を差し出されたので、私は、震える手を出した。私の手を握る「彼」の手は、湿っていて、とても、温かかった。

「あの、あ、あの、女の子と思っていました。あの、写真とか、テレビで。」

「そうでしょうね。みんな、そう言うけどよー、でも、俺が山崎ナオコーラなんだよ。」

「じゃあ、あの子は？　あの、モリモトチヒロの服を着た……」

「あの子？　わての分身みたいなもんだんねん。嘘だ。いや、本当。でも、どうでもいいじゃあ、ありませんか。本貸してみろよ。いい匂いじゃなぁ。マンゴーけ？」

「はい。そうです。」

「マンゴーだ。そうばいそうばい。お前はまるっきり、マンゴーだ！」

山崎ナオコーラは、嬉《うれ》しそうに笑った。本にすらすらとサインをすると、ペンを置いた。そして、右手をポケットに入れ、何かを取り出した。もちろん、それはマンゴーだった。

「僕も、好きなんだ。マンゴー。」

山崎ナオコーラは、それを、私の口元に、優しく、優しく、あてがった。

「かじってみなさいなー。」

私は、それをかじった。とても、甘かった。このマンゴーは、きちんと、熟れている。

「甘い。」

一口かじると、止まらなくなった。私はマンゴーをあっという間に食べつくし、そのまま、山崎ナオコーラの中指と人差し指の、第二関節あたりまで、食べてしまった。マンゴーよりも、甘かった。私は、この甘さを、一生忘れないだろうと思った。

私は、山崎ナオコーラに、恋をした。

あんな綺麗《きれい》な、甘い味のする男の人に、初めて会った。

私は、渡すはずだった原稿を持ち帰った。これではだめだ、と思った。「孤独のは、ない。
「淵々《ふちぶち》」というタイトルごと、私はそれを庭で燃やした。だって私は、ちっとも孤独で
　私は、猛烈な、恋をしている。
ナオコーラが、世界のどこかにいる。今日も、あの綺麗な手で、ペンを走らせてい
ると思えば、私は、それだけで、生きていける。もっとも、綺麗な指の二本を、私は
食べてしまったのだが。そしてそのことが、私に更なる勇気を与える。私の体の中に、
山崎ナオコーラがいる。寂しいとき、その指が、私の体内を撫《な》でる。彼の指、綺麗で、
甘い、指。
　ああ、好きだ。好きだ。好きだ。
　私は、山崎ナオコーラに、ラブレターを書いた。長い、長い、ラブレターだった。
　それが、私のデビュー作になった。
　タイトルは、「甘い果実」。ロロロロロ。だいすき。

炎上する君

今日も、銭湯にいる。

一番風呂《ぶろ》に来た浜中《はまなか》と私だったが、シャワーで体を流している間、後からやってきた婆《ばば》がかけ湯もシャワーもせず湯船に入ってしまった。一番風呂を取られてしまったことを、悔しく思いながら、それでも私と浜中は、婆に文句を言うことは、しなかった。

一番風呂でなくても、綺麗《きれい》になった体で湯船につかると、自然に「ああああ」と、声に出る。広い風呂は気持ちがいい。壁に描かれた富士山は放埓《ほうらつ》としており、タイルはきゅっと引き締まって清潔だ。銭湯は、いい。

我々はしばらく黙って湯を楽しむ。そして結局はまた、あの話を始める。

「それにしても足が炎上している男は、どこにいるのだろうか。」

最初にその話をしてきたのは、浜中だった。

「梨田よ、足が炎上している男の話を知っているか。」

恩師の葬儀だった。

私は長らく続く坊主の読経に飽き、崩してもしびれる足をもてあましていた。足の裏を撫《な》でさすっている私を見て、隣に座っていた浜中が、そう耳打ちしてきたのだ。

「足が炎上している？」

私は、素《す》っ頓狂《とんきょう》な浜中の言葉に驚いて、少し大きな声で、そう聞き返した。

「しっ！」

私の前に座っていた元クラスメイトが振り返る。名前が思い出せない。

実は、「槍元《やりもと》教諭が亡くなった」という連絡が来たときも、「槍元教諭」が高二のときの担任であったことさえ、思い出せなかった。

浜中は、高校の同級生だ。連絡をくれたのが浜中だから、教諭といえば高校の教諭だろうとは思ったが、それでも、ぴんとこなかった。

浜中は、三十二歳になった今でも、真ん中分けのお下げ髪にしている。高校のときはその姿で古くさい黒縁の眼鏡をかけていたから、クラスの男子からは「戦中」や「学徒動員」などと呼ばれていた。顔の骨格のたくましい浜中は、辮髪《べんぱつ》をした中国の宦官《かんがん》のように見えなくもない。

　浜中は、高校時代から今まで、私の一番の親友である。親友であるといっても、我々は他の女子生徒らのように、週に何度も会ったりメールをしたり、いちゃいちゃしたりしなかった。数ヶ月に一度会っては鯨飲し、お互いのことをなんとなく報告しあう。悩んでいることや自分の感情を人に言えない私であったが、数ヶ月ぶりに会う浜中には、素直にそれを言うことが出来たし、浜中も、決して甘くない、的確な意見を言ってくれた。

　そんな浜中が、私が住んでいる高円寺《こうえんじ》に、三年ほど前に引っ越してきた。浜中は大変に賢く、国立大学の経済学部を卒業した後、大手の証券会社に入った。そのときもずっとお下げ髪だったが、浜中がお下げ髪にどうしてそこまでこだわっているのかは、分からなかった。しかし、自分の容姿や性格では恋愛や結婚は叶《かな》うまい、と達観し、二十五歳の若さで神保町《じんぼうちょう》にマンションを購入した。３ＬＤＫという間取りを聞いて、「色々とあきらめていないな」とは思ったが、それでもその決意に私は感嘆したし、親友であるが尊敬できる、大切な人物であった。

　だから、浜中がマンションを賃貸に出し、高円寺の汚いアパートに越してきたのには、相当驚いた。

どうしてなのだ、と居酒屋において理由を聞いた私に、

「梨田よ、君とバンドを組みたい。」

と、浜中は言った。私は、ビールをゆるく噴いた。

浜中の言い分はこうだった。自分は物心ついたときから今の今まで、「冒険」というものをしたことがない。マンションを購入したのは冒険といえなくもないが、立地条件や景気その他もろもろの条件を斟酌《しんしゃく》し、絶対に損にならないと確信してから購入したのであり、案の定購入した時分より随分といい条件で賃貸に出せた。その収入で生きていけるくらいである。婚姻は毛頭望まないし恋愛などは唾棄《だき》すべきものであるが、このまま無難な人生を歩むのは、ひとりの人間としてあまりにもつまらない。そこで、自分が一番手を染めなそうなことをやってみたいと思った。それが、

「バンド、ということか。」

私が聞くと、浜中は、

「そう。バンド。組まないか。」

と、まっすぐな目で言った。

「どうして私なのだ。」

「では聞くが、どうして私が梨田以外の人間と、バンドを組めるのか。」

私ははっきりと、その言葉に胸を打たれた。

私も、ずっと頭はよかった。優秀だった。浜中ほどではないが、賢い私立大学を卒業し、賢い銀行員になった。資産運用の部署に所属し、自分でも株式投資をやっている。研究に研究を重ねて打ち込んでいるので、今では相当な額になっている。最近ではFXも始めようと思い、数十冊の本を購入した。しかし、確かに、日常業務や帰宅時、胸中に去来するむなしさには、度々襲われていた。銀行をやめたとて、私には尋常ならざる株式投資の知識があるし、浜中が家賃収入で暮らせるように、自分も株式投資で暮らせる自信はある。

「よし。やろう。」

十杯目のビールの勢いも手伝ってか、明け方には、私と浜中は、握手を交わしていた。


「足が炎上している男とは、どういうことなのだ。比喩《ひゆ》か。」

私が浜中と同じくらいの声で耳打ちすると、浜中は、

「私もライブハウスのオーナーに聞いただけなのだが、一度現れたらしいのだ。ライブの最中、最後列にひっそりといたのだが、足が、ぼうぼうと炎上していたらしい。」

「足が炎上している？　どういうことだ。」

「いや、そのままらしい。その男はサンダルをはいているらしいのだが、足首から下が燃えているのだそうだ。」

「自分で火をつけているのか。燃え尽きて足がなくなったりしないのか。」

「わからない。ただ、他にも目撃談はある。早稲田《わせだ》通りを歩いていたとか、駅前で誰かを待っていたとか。そのどれも、」

「足が炎上していたのか。」

「そうだ。」

「なんていうことだ。」

　私は、足が燃えている男を想像してみた。どんな男だろうか。燃え滾《たぎ》る己の情念を隠しきれず、それが「足が燃える」という体《てい》となって表れたのか。それとも、「足を燃やす」ということで、何かに抗議をしている、アナーキーな人物なのだろうか。つまるところ、私は、その男を見てみたい、と思った。

　焼香の番が回ってきて、「槍元教諭」の死に顔を覗《のぞ》いたが、やはり、思い出せなかった。

　私と浜中は、ちょっとした同窓会のようになっている会場を誰にも、何も言わず後にした。自分たちがバンドをやっていることなど、言うはずもなかった。

私は高円寺で、そこそこ立派な２ＤＫのマンションに暮らしていたが、浜中への敬意とふたりの結束のため、庚申《こうしん》通りを一本西へ入ったところの、風呂なしのアパートを借りた。毎日、浜中と誘いあって銭湯へ行く。お互いのことや未来を話しあうその時間は、何ものにも代えがたいものであり、風呂《ふろ》上がりに飲む珈琲《コーヒー》牛乳の泥水のような美味さは、我々をはにかませた。

バンドのメンバーは、いつまでも私と浜中だけであった。ふたりの人見知りと、かたくなさが招いた結果だったが、ギターボーカルの浜中と、ベースの私は、やはり勉強熱心で賢かった。音楽機材の勉強をし、ドラムやトランペットやほとんどの楽器を打ち込みで制作、演奏技術も驚くほど上達した。

浜中が高校時代「戦中」や「学徒動員」と呼ばれていたのは先述したが、私は、「戦後」「火垂《ほた》るの墓」と呼ばれていた。びっしりと切りそろえたおかっぱ頭で、頬が異常に赤いからだ。バンド名はアイロニーをこめ、「大東亜戦争」にした。

「大東亜戦争」は、尋常ならざる演奏技術と、知性溢《あふ》れるリリック、爆発的な音にも拘《かか》わらず棒立ちのふたりのスタイルが人気を博した。固定のファンまでついた。私は、今までの人生において、経験したことのなかった充実感を味わった。

しかし、日がたてばたつほど、自分たちの興奮が、高揚が、薄れていくのも分かった。

証券会社で株式情報をすばやく打ち込むのも、銀行で札を尋常ではない速度で数えるのも、曲を作りそれを演奏するのも、私たちは同じ精神状態でこなした。ライブ会場で我々を見、狂喜の声をあげながら踊り狂っている人物を見ても、私と浜中の心は、しんと冷めていた。というより、いつも緊張していた。「大東亜戦争」を演じなければならない、皆様の期待を裏切ってはならない、という想いが心の枷《かせ》になり、ライブは没頭するというより、こなすものになってしまった。

結局我々は、とことんまで「真面目な人間」なのだった。

何ものにも感動できない、いわば生きることへの不感症なのではないか、と、おのれを呪った。もっと、血が滾るようなこと、これがあれば死んでもいい、と思うようなこと、それを探していた。銭湯以外に。

そして、「足が炎上している男」に、惹《ひ》きつけられたのである。

不思議なことに、「足が炎上している男」を目撃した者は皆、その後宝くじが当たったり、子宝に恵まれたり、出世したり、バンドがデビューを果たしたり、とにかくなんらかの幸運に恵まれていた。目撃情報は、三ヶ月に一度ほど。「足が炎上している男」は、高円寺の若者文化において、もはや神話のような存在になりつつあった。幸運にあやかりたい、などと思うことはない。幸運など、銭湯の温かい湯で十分だからだ。ただ、生きることへの不感症である我々は、神のようなその男に会うことくらいしか、自分たちの感情を劇的に変えることは出来ないのではないか。そう思っていた。

今日も、銭湯にいる。

浜中は、銭湯でも眼鏡をかけている。極度の近視なのだ。コンタクトレンズやレーシックを勧めたこともあったが、急に眼鏡を取ると、「色気づきやがって」「あいつ○○デビューしようとしている」などと誤解されるのが不快なのだ、というようなことを言った。それがお下げ髪を頑《かたく》なに守り続けてきた理由なのか、と納得し、同時に、自分がこの「漆黒と直線」のおかっぱ頭をやめないのも、同じ理由であるので、やはり浜中は私の唯一の親友である、と、感動を新たにしたものだ。

葬儀の際、元クラスメイトが私達を見、「変わってねぇ」と笑っていたことに気付かないほど、我々は阿呆《あほう》ではない。それどころか、そこにいた誰よりも賢く、聡《さと》い。痩《や》せただのパーマが似合うだの綺麗《きれい》になっただの騒いでいるつまらない女子とは、そしてそんな女子を値踏みし、デブだブスだとからかっていた相手の変身に驚いて態度を軟化させる男子とは、少しでも打ち解けなくて良かったと、心から思った。心からだ。


「また目撃談があったらしい。」

浜中は、曇る眼鏡を拭《ぬぐ》おうともしないで、そう言った。

「どこで。」

「るるマートだ。」

「るるマート！　スーパーではないか。スーパーで炎上していたのか。」

「そうだ。客の皆は有難《ありがた》がったが、店員は商品に引火する恐れがあるので、退店願ったそうだ。」

「やむをえまい。」

「しかしその後、その従業員、商品の段ボールにつまずいて転び、全治二ヶ月だそうだ。」

「祟《たた》りか。」

「それだけではないぞ。よく考えてみろ。るるマートは。」

「あ！　今月いっぱいで閉店だ！」

「そうだ。」

「ますます足が炎上している男は、神だな。」

「そうだ。神だ。」

「これは、何としてでも会わなければ。」

「そうだ。」

銭湯での我々の会話は、ほとんど「足が炎上している男」に費やされた。もはや、それ以外に私と浜中とで話すことはなくなったのだ。バンドのことも、未来のことも。


とはいえ、バンド活動は、相変わらず順調であった。

ライブ後に対バンのメンバーに飲みに誘われることもあった。

しかし、ライブ後の飲み会へ行けば、「ライブ後の飲み会にいる大東亜戦争のふたり」をこなさなければならない、という強迫観念のほうが先に立ち、心から楽しんで飲むことが出来なかった。

また、我々は学生時代、クラスや学年の男子生徒たちから、ほとんど呪詛《じゅそ》に近い罵《ば》罵詈《り》雑言を浴びせられてきた過去があるため、こと男性に対しての接し方には、注意を払わなければいけなかったのだ。

とかく男性というのは阿呆で低能で見るのは女の体ばかりで女を自分たちより低級なものであると信じて疑わず頭の中は中身のない女との痴態ばかり、私や浜中のように、自分たちより知識も技術も能力もある者を敵視するものである。

なので、例えば同じベーシストである男性に、

「梨田さんのベースは太く重く、とにかく恰好《かっこう》がいい。今度教えて欲しい。」

などというようなことを言われたところで、彼を信じてはいけない。彼は自分より技術がある私を疎ましく思っているのであり、私がほいほい話に乗ってベース技術を教えたりすればその技をすぐ盗み、あわよくば私を蹴落《けお》とそうとしか考えていないのである。

そのような私の注意をあと押しするように、同席している浜中が、その男の意見を真に受けてはいけない、という視線を送ってくれる。逆の場合も、そうだ。

「浜中さんの叫びを聞いて涙が止まらなかった。今度僕の詩も読んでほしい。」

などという男性がいた場合、そうですか、と話に乗せられそうになっている浜中を、私は守る。思い出せ浜中よ、学徒動員と蔑《さげす》まれた、空襲警報の真似をされ笑われた学

生時代を。彼はそうやって君をもちあげておいて、後で大笑いする魂胆なのだぞ、という視線を送るのである。浜中は、はっとした顔で私を見、感謝の視線を返すのだ。そして、私と浜中ははかり、よきところ「ではない」タイミングで酒席を後にする。我々は楽しくない、我々はお前たちを軽蔑《けいべつ》する、我々を誘うな、という意思表示である。そういうことが続き、結局我々は、飲み会に誘われなくなった。

願ったりだ。

我々の今のところの目的はすべて、「足が炎上している男」に会うことだけに絞られた。

早稲田通り、中野通り、パル商店街、ピンサロ通り、中央線高架下。目撃談があった場所を、我々は歩き回った。ときには、空がうっすらと白んでくることさえあった。

そんなとき私は、今、世界に、浜中とふたりきりでいるような錯覚に陥った。皆、眠っているのではない。どこか、私たちがいる世界とはまったく違う「世界」で、それぞれの生活を営んでいるのだと、思った。今この場所、この「世界」にいるのは、浜中と、私と、ふたりだけである。

願ったりだ。

それは、我々が望んでいることなのだ。望んでいることだ。望んでいることだ。

その日も、我々は銭湯にいた。

月末のスペシャルデーであり、湯船に大量の林檎《りんご》が浮かんでいた。我々は、林檎の香りと、それがふらふらと湯に浮かんでいる様を楽しんだ。

浜中は目をつむっているようだったが、曇った眼鏡のため、その表情はいまいち分からなかった。何か話を、と思ったが、ここ数ヶ月、ほとんど毎日ふたりだけでいるため、話題はなかった。「足が炎上している男」の話さえも、出なかった。

「ぎゃーっ！」

そのとき、脱衣場の方から、叫び声がした。嗄《しわが》れた声は、番台の女主人のものであろう。

「床が燃えっちまうじゃないか！　出てっとくれ！」

私と浜中は、顔を見合わせた。といっても、浜中の眼鏡はやはり曇っていたため、目を見ることは出来なかったが、浜中が興奮していることは分かった。

我々は、無言で湯船を後にし、脱衣場へ急いだ。

間違いない。「足が炎上している男」が、銭湯に現れたのだ。

我々は、体を拭《ふ》くのももどかしく、急いで支度をした。男であれば、上半身裸でそのまま飛び出していけるものを、私にも浜中にも、申し訳程度とはいえ乳房というものがついている。今度ばかりは、自分の体が女であることを呪った。

いや、今度ばかりではない。

小学校のときから、いやさ、物心ついたときから、私は、自分が女であることを呪っていた。女であるがために、容姿の品定めをされ、性欲の対象としてあらねばならない。そして、不細工であると宣告された者は、生きる価値さえないような待遇を受ける。私は、女、それも不細工な女であるということで、いわれのない迫害を受けてきた。小さな頃から、ずっと。ずっと。女であることを、捨てたかった。だからといって、男にはなりたくなかった。女の品定めをし、無恥な性欲をもてあます、阿呆《あほう》な男には。

女にも男にもなりたくない私は、では、何だったのだろうか。

私は、着替えを終え、走りながら、それでも濡《ぬ》れた髪をお下げにしている浜中を見た。浜中に会って、自分と同じ人間がいると思った。女であることを嫌がり、男になることを拒む人間。何にもなれない、たったひとりの人間。

「浜中よ。」

声に出した。浜中は、ふたつめのお下げ髪を、驚異的な速さで作っていた。

浜中は、私を見たが、何も言わなかった。浜中も、きっと私と、同じ気持ちであったのだ。「足が炎上している男」を見るまでは、絶対に走りやめないということ。世界でお互いしか、自分の味方はいないということ。久しぶりの全力疾走で、目からも汗が流れているということ。そしてそれを、疎ましく思うこと。

私と浜中は、人前で泣いたことが、ない。


「足が炎上している男」の軌跡は、すぐに分かった。時折火の粉を道に残していたからだ。今日はいつになく「燃えている」な、と、私と浜中の胸が躍った。

「足が炎上している男」は、ピンサロ通りを突き抜けた、ある住宅街の一角に座っていた。

本当に、足が燃えていた。

ぼうぼうと音を立て、橙色《だいだいいろ》に染まる足を投げ出して、男は我々を見上げた。

「熱くて。」

男は、そう言った。心底困っている、というような物言いであった。

男は、真っ黒い髪、透き通った肌、意志を持った大きな目をしていた。神などではなかった。「足が炎上している男」は、はっきりと、人間の男であった。

私は、「足が炎上している男」を見て、自分の心臓のあたりが、ぼうっと熱くなるのを感じた。足の炎が、引火したのであろうか。すぐに心臓が熱さで悲鳴を上げ始めた。ライブでも銭湯でも感じない血の滾《たぎ》りを、そこに感じた。

私は、浜中を見た。浜中も、恐らく私と同じ顔をしていた。ぼうっと「足が炎上している男」を見、かける言葉が見つからないようだった。我々はまったく、精彩を欠いていた。

「すいません、足なんかが燃えていて。」

何も言わず、自分をじっと見つめている我々をもてあましたのか。男は、そう言って頭を下げた。その言葉で、私と浜中は、はっと、我に返った。

「どうして、燃えているのだ。」

浜中は、高圧的な態度であった。それは普段の我々が「男」に会ったときのやり方だった。

「はあ、たくさん歩くから。足がマッチのようにすれて、火がつくようなのです。」

「たくさん歩くから？　そんな現象があるものか。」

浜中に負けず、私も高圧的な態度で、「男」に言った。

「僕も最初は信じられなかったのですが、そのようなのです。何度も、何度も、火がつきます。近頃では、アパートの階段を降りたら、それだけで、このような。」

男は、自分の足を、困ったように見た。そして、私達を交互に見、

「本当に、すみません。足なんかが燃えていて。」

と言った。

まっすぐな目だった。

私達の品定めなどしない、男であるか女であるかなど関係のない、「ひとりの人間」をまっすぐに見つめる、目であった。黒くて、光っている、大きな目。

私と浜中は、その視線を受け、一瞬の間に、ほとんど寛《くつろ》いでしまった。

「あのー、何か、冷やすものを持ってきましょうか。」

浜中の軟化した言葉に、私は驚いた。「あのー」などと、語尾を伸ばす浜中を、初めて見た。しかし、驚きとは裏腹に、私も気がつけば、

「それがいいわね。何か、冷たい缶コーヒーなどで、足を冷やしたら？」

と、言っていた。浜中は、ぎょっとした顔で私を見た。分かっている。「いいわね」などという「女言葉」を使う私を、浜中が見たことなど、あるわけなかった。それでも、浜中は私を糾弾しなかったし、私も浜中にいつも送る「だまされるな」という視

線を、送らなかった。私と浜中は、近くの自動販売機に走った。そして、急《せ》くように缶コーヒーを購入した。

　缶コーヒーを渡すと、男は自分の足でそれを挟むようにあてがった。しゅう、と音がして、炎はみるみる小さくなった。

「ああ、気持ちがいい。すみません、本当に。あ熱い！」

　男は、熱が移って熱くなった缶コーヒーを、地面に取り落とした。私と浜中は、その様子を見て、「まあ！」「滑稽《こっけい》ね」などと言って、笑った。

　缶コーヒーはころころと転がり、月の明かりを受けて、白く光っていた。


　我々の足が炎上し始めたのは、それからだった。

「足が炎上している男」のように、アパートの階段を降りただけで火がつく、という状態になるのに、時間はかからなかった。それはぼうぼうと音を立て、橙色の影を、周囲に投げかけていた。「足が炎上している男」のように、長時間歩くためではない。

　私と浜中は、ハイ・ヒールを履くようになったのである。

　三十二年間甘やかしてきた足に、七センチ高のハイ・ヒールは拷問である。私も浜中も、歩き出してすぐに悲鳴をあげ、家に帰る頃には炎上する足をなだめ、涙を流す始末であった。しかし、我々はやめなかった。

今日も、銭湯にいる。

浜中は、「薔薇《ばら》の香りのシャンプー」で、念入りに自分の髪を洗っている。眼鏡は曇っていない。そもそも、眼鏡をかけていない。浜中は、コンタクトレンズをつけるようになったのである。そして、浜中が撫《な》でるように洗う髪には、ゆるやかなウエーブがかかっている。パーマネントをかけたのだ。

私は、「ピーチの香りのコンディショナー」を、髪に丁寧に塗りつけている。髪が傷まないようにだ。なぜ傷むのかというと、髪の色を明るい茶色に染めたからだ。石鹸《せっけん》で洗っていた顔は今、蜂蜜《はちみつ》の洗顔料で優しく洗っている。その際、「神様お願い、頬の赤みを消して」と、願う。

私と浜中は風呂《ふろ》上がり、珈琲《コーヒー》牛乳の泥水的甘さをはにかみながら、いつものように誓い合った。

「お互い、どのような女性的な行為をしても、決してそれを糾弾したり、笑ったりしないこと。」

我々は、戦闘のさなかにある。

恋という、戦闘である。

私と浜中は、何時間でも、体を慈しむようになった。

人間をまっすぐに見ることの出来る、黒くて綺麗《きれい》な目を持った、ぼうぼうと燃える足をもてあましているあの「男」に、我々は、恋をしたのである。

「どちらの思いが成就しても、我々の友情には、変わりはないこと。」

浜中と、私の、真の友情が、試されるときだ。


恋愛のさなかにいる君、恋の詩をつづる君、恋の歌を歌う君よ。

周囲の人間に、馬鹿にされるだろう、笑われるだろう、身の程知らずだと、おのれを恥じる気持ちにも、なるだろう。だがそれが、何だというのか。

君は戦闘にいる。恋という戦闘のさなかにいる。誰がそれを、笑うことが出来ようか。

君は炎上している。

その炎は、きっと誰かを照らす。煌々《こうこう》と。熱く。

君は、炎上している。

トロフィーワイフ

東京都S区、八十坪ほどの土地に建つ、瀟洒《しょうしゃ》な邸宅がある。黄色に似せたクリーム色の壁、窓枠やベランダの柵《さく》は逞《たくま》しい茶色で、屋根瓦《がわら》は厳かな緑、六角形と長方形の組み合わせがモダンな建物は、大正十一年、東京帝国大学工学部名誉教授であり建築家でもあった故・岩村静夫《いわむらしずお》の手によるものである。庭には楡《にれ》の木。ほとんど黒い色をした幹の、大きな木陰に、ふたりの女が座っている。

この家の住人、宇津木《うつき》ひさ江と、宇津木枝里子《えりこ》である。ふたりは祖母と孫の関係、諸々の事情があり、この大きな屋敷で、ふたりきりの生活を送っている。

籐《とう》の椅子に腰掛け、中国茶を飲んでいるひさ江は七十八歳。そのそば、芝生に敷いた茣蓙《ござ》の上で足を投げ出している枝里子は二十四歳。

枝里子も、ひさ江も働いていないが、ひさ江の夫、亡くなった宇津木嘉伸《よしのぶ》氏の遺《のこ》した財産で、悠々とした生活を送っている。

「まごちゃん、そのズボンは、流行しているわけ？」

ひさ江は枝里子のことを、まごちゃん、と呼ぶ。

ひさ江には四人しか孫がいないが、面倒くさがりのひさ江は、全員の名前を覚えていない。名前を間違うよりはいい、ということで、女の子はまごちゃん、男の子はまごくん、と呼ぶことにしている。その中でも、一番の親友であり、自分と共に暮らしている枝里子の名前を、ひさ江は知らないはずもないが、彼女はまごちゃんという呼び方を、気に入っているのだ。

「これ？　ええ、そうよ。デニムのショートパンツ。ばーさん、最近はズボンと言わないの、パンツと言うのよ。」

一方の枝里子は、ひさ江のことをばーさん、と呼ぶ。

乱暴な呼び方のように聞こえるかもしれないが、他の孫がひさ江を「おばあさま」や「ひさ江さん」などと呼ぶ中、「ばー」という快活な音の後に「さん」と謙虚な音色がくるのが可愛い、と、その呼び方を貫いている。ひさ江はその呼び方を嫌がることはないし、枝里子の鈴のように美しく響く声が、どんな言葉もきらきらとしたものに変えてしまうのである。

「パンツって、下着のことじゃあないの。」

「発音が違うのよ。ばーさんは、パンに力を入れるでしょう。それは下着のパンツ。これは、パンツ、わかる？　どの文字にも、力を入れないの。」

「ぱんつ。」

「そうよ。」

「嫌ねぇ、発音だけの違いで、下着かお洋服かに分かれるなんて。人の前で、うっかり言えないわね。」

「クラブもそうなのよ。言ってみて。」

「クラブ。」

「ばーさんの言うそれは、男の人が綺麗《きれい》な女の人をはべらせて、お酒を飲む場所よ。クラブ。私の言うほうは、若い子たちが、音楽に合わせて踊る場所なの。」

「くらぶ。」

「そうよ。」

「嫌ねぇ。」

　デニムのショートパンツ、から伸びた枝里子の脚は、ほとんどまっすぐで、白くて、滑らかだ。木漏れ日を反射するように光り、力強い。まるで、脚それ自体が、早く来た春のようである。

ひさ江は、手を伸ばして、枝里子の脚に触れようとする。椅子に座ったままでは届かないが、ひさ江の意を酌んだ枝里子が、脚をひさ江のほうに伸ばしてやる。

くるぶしはくるみのように硬く、ふくらはぎの筋肉は桃の種のような形をしている。膝小僧《ひざこぞう》は可愛らしくて、それに続く太ももは、弾むような野性をたたえている。ひさ江は感嘆のため息をついて、枝里子を見つめる。

その視線を受けて、枝里子は細い指で、自分の頰に触れてみる。指先が吸い付くように、彼女の輪郭を確かめる。枝里子の肌は、新品のランプのように綺麗だ。

無知な者特有の、乱暴で、むき出しの美しさを、枝里子は持っていた。彼女は人前で髪に触れるようなことはなかったし、ストッキングを直すこともなかった。そもそも、ストッキングを、はいたことすらなかった。


「あなたのような人をね、欧米ではトロフィーワイフというのよ。」


枝里子は、寝転んでいることに飽き、歩き出す。

枝の間から漏れた白い光の欠片《かけら》が、そこかしこにしぶきのような模様を作っている。

それは、手の平から零《こぼ》れ落ちた、冷たい砂の塊のように見える。中には石に反射しているのであろうか、目を射貫《いぬ》くような眩《まぶ》しさを発しているものがあり、枝里子はそれらにいちいち目をつむりながら、木陰の端まで来ると、くるりと振り向き、またふらふらと歩く、ということを繰り返した。

この場所にある時間は、一瞬一瞬の連続ではない。それは生きていることと無関係に、ただただ、じっとりと、枝里子の体を包んでいる。楡の木陰よりも、黒く、濃い。

枝里子はその時間に、はっきりと、とらわれている。

「まごちゃん、お昼にしましょうか。」

「うん。」

ひさ江は、蚕豆《そらまめ》のペーストとゆで卵をはさんだ、サンドイッチを作る。胚芽《はいが》パンの砂のようなベージュに、蚕豆の弾けるような若草色と、卵の黄金色。ひさ江は、ほとんどその色彩の美しさという理由だけで、それを好んで作ったし、枝里子も、その色を愛した。

ふたりは、一口かじり、また皿の上に置いては、しばらくそれを見つめ、そしてまた、ゆっくりと口に運ぶ、ということを繰り返す。サンドイッチは、味気なかったが、目に飛び込んでくるその可愛らしさがあれば、ふたりはそれで良かった。

「ねえ、まごちゃん。オーブンに何か入っていたけれど、あれは何。」

「忘れてたわ。」

「何？」

「クッキーの生地みたいなもので、クッキーみたいな焼き菓子を作ったの。焼けたらすぐにオーブンから出さなきゃいけないのに、忘れてた。焦げてるかな。」

「クッキーの生地みたいなもので作った、クッキーみたいな焼き菓子って、それは、もう、クッキーじゃあないの？」

「ううんと、ええ、そうね。」

「まごちゃんは、そんなふうに話すことが多いわよ。この間だって、区の職員みたいな人が来た、て言ってたでしょう。あの人たちも、はっきりと、区の職員だったじゃない。」

「そう？」

「そうよ。昨日もそうよ、ばーさん、あのジョウロみたいなものでお花に水をやって、て言ったけど、まごちゃんの言うのは、間違いなく、ジョウロだったわよ。」

「そうね、気付かなかったわ！」

「変なまごちゃん。」

その言葉を口にすると、ひさ江はいつも眠くなる。それは、ひさ江を眠りに誘う、合言葉のようなものだった。枝里子もそれを知っているから、ひさ江の手を取り、二階にあるベッドに連れて行ってやる。ゆっくり、階段を登って。

すみれ色のシーツに体を横たえるひさ江は、静止した、一枚の絵のようだ。

これは綺麗な死体なんだ、と、枝里子はいつも思う。そんなふうに思うことを、不謹慎なことだとは、思わない。死体の頬は、いつまでも綺麗な薔薇色《ばらいろ》をしている。


「あなたのような人をね、欧米ではトロフィーワイフというのよ。若い頃苦労して仕事して、年を取ってから成功した男の人が、今まで苦労を分かち合ってきた年を取った妻と別れて、若くて、綺麗な女の人を手に入れるの。」


ひさ江は夢を見た。

宇津木嘉伸の夢だ。出会った頃は、もう初老であった彼に、初めて彼の所有する馬を見せてもらった日の夢だった。現実では、怖くて近寄ることさえ出来なかったが、夢の中で、ひさ江は馬を軽々と乗りこなしていた。

脚の間に当たる鞍《くら》を通して、馬の若さや、はっきりと荒々しい血液を感じる。それは怖いほど、ひさ江を昂揚《こうよう》させる。それが性的な昂揚であると気付いたとき、ひさ江は大声をあげるが、宇津木嘉仲は、ひさ江が怖がっているのだと思い、声を出して笑う。

ひさ江は思う。あの人は、いつだってそうだわ。私を、可愛い、小さな女の子だと、思い込んでいる。

ひさ江は、可能な限りの大声を出す。宇津木嘉仲は、笑う。

「ばーさん。大丈夫？」

目を開けると、枝里子の顔が近くにある。どれくらい眠ったのだろう。額に大粒の汗。

「叫んでいた？　私。」

ひさ江が聞くと、枝里子は笑った。

「違うわ、大声で笑っていたわよ。何か、楽しい夢でも見たの？」

「あら。私、あの人になりきって笑っていたのね。」

「あの人？」

「いいの。ああ、腹が立った。」

「腹が立つ夢だったの？　笑っていたのに？」

「そうよ。まごちゃん。」

「なあに。」

「トロフィーワイフの話はした？」

「もう、ばーさん。何度も、何度も聞いたわよ。」

「私、こんなばあさまになってしまったのに、今でも思うの。綺麗《きれい》でいなくちゃ、そうでなくっちゃ、私には価値がないんだわ、て。」

「そんなことないわよ。ばーさんは、ばーさんその人だから、素敵なのよ。」

「まごちゃんはそう言ってくれるけど、違うのよ。私は、いつまでも、可愛い女の子でなきゃいけなかったのよ。そんなつまらないことって、ある？」

「つまらないけれど、もう、おじいさんは亡くなったでしょう。ばーさんは、ばーさんの好きなように生きたらいいのよ。私みたいなデニムのショートパンツをはいてもいいのだし、裸足《はだし》で庭を歩いてもいいのよ。」

「ぱんつ。」

「そうよ。うまく言えたわね。」

　ひさ江は、自分が「デニムのショートパンツ」をはき、庭を裸足で歩きまわるところを想像してみた。裸の足の裏に、芝生がやさしく当たるのを、感じることが出来る。まるで自分が経験したことのように、鮮やかに。

家の中に「トロフィーワイフ」として閉じ込められてきて、よかったのは、尋常ならざる想像力が身についたことだけだわ、と、ひさ江は思う。

雄々しい茶色い馬。あの美しい馬は、宇津木嘉伸が亡くなる直前、誰かの手に渡ってしまった。

宇津木嘉伸が亡くなるとき、彼の以前の妻も、家にやってきた。

六十を目前にしている、ということだったが、ひさ江には、白髪を隠さず、ごつごつとした手のその女性は、自分の母親よりも、随分年上に見えた。

そのときひさ江は、まだ二十六歳だった。宇津木嘉伸に嫁いで、五年目のことだ。

先妻の娘や息子たちより年下である自分をもてあまし、ひさ江は生まれたばかりの娘を抱きしめ、家に来る人間に、頭を下げるばかりであった。息子や娘たちは、ひさ江に視線を寄越しもしなかったが、先妻だけは、ひさ江に、深々と頭を下げた。

そのお辞儀の仕方に、ひさ江は圧倒された。美しかった。

それは女性の美しさではなく、ましてや勲章となりうるようなものでもなかった。

彼女は、体に、彼女自身の人生をたたえていた。

それは、生きている人間が作る景色だった。

床に投げかけられた黒い影は、彼女の痛みだったから、それは彼女が去った後も、黒く、濡《ぬ》れながら、長く床に残った。ひさ江は、その影さえも、美しいと思った。質量のある、堂々とした影。

そのときひさ江は、この女性ならきっと、夫が死んでも、決してあの馬を、手放すことはなかっただろう、と思った。そして、まさに死のうとしている宇津木嘉伸を、初めて呪った。

彼は自分に、美しく、逞《たくま》しい馬を、残してくれなかったのだ。

「あなたのような人をね、欧米ではトロフィーワイフというのよ。若い頃苦労して仕事して、年を取ってから成功した男の人が、今まで苦労を分かち合ってきた年を取った妻と別れて、若くて、綺麗な女の人を手に入れるの。いわば自分の勲章として。」

郵便配達人が、枝里子に届け物がある、と、やってくる。

枝里子が受け取ると、それは、赤いダリアの花束だった。

「あら。綺麗ね。」

枝里子は郵便配達人を見て、カードを開く。そこには、「美しいあなたへ」とだけ。

郵便配達人は、枝里子の仕草に、目を奪われている。じっと、静かに。

枝里子は、郵便配達人に「ありがとう」と言い、踵《きびす》を返す。玄関まで歩いていく枝里子が裸足なのを、郵便配達人は見る。くるぶしは硬く、ふくらはぎの筋肉は、しなやかだ。

扉を開ける前に振り返った、若い鹿のような枝里子の姿を、彼は一生忘れないだろう。暑いさかりの幻のように、彼はその姿を、まぶたの裏に焼き付けるのだ。

枝里子は、ダリアを花瓶に生けた。ダリアは水に塗れ、ゆったりと光った。鼻をちかづけたが、匂いはしない。

「綺麗な花ねぇ。」

階段を降りてきたひさ江が、ダリアを見つける。

「そうね。とても綺麗ね。」

彼の名は、何というのだっけ、あの、帽子を深くかぶった、郵便配達人の名前は。

枝里子は唇に手をやり、じっと考えてみたが、結局は諦《あきら》め、ひさ江を見て笑った。

「私、この花が好きだわ。」

「だりあ。」

「馬鹿ね、ばーさん。ダリアは普通に言えばいいのよ。」

「普通に言うものと、普通に言わないものの差が、わからないわよ。嫌ねぇ。」

「ダリア。」

「あの子には、まごちゃんがダリアみたいに見えるのね。」

「え。」

「ほら、真っ赤で、華々しくって、逞しいでしょう。まごちゃんみたいよ。彼、そう思って、持ってきたのじゃない。」

送り主があの郵便配達人であることを、枝里子は知っている。

一度、気まぐれに頰に唇をつけてやったら、こんなふうに、贈り物を持ってくるようになった。配達する手紙がないときにもだ。

枝里子はひさ江に微笑んでみせる。

「私は、あの郵便屋さんみたいな男の子のこと、好きじゃないの。」

「また、そんな言い方するのね。彼は、はっきり、郵便屋さんでしょう。」

「そう。そうね。」

ひさ江も、笑った。

「彼氏には、したくないということなのね。」

「ばーさん。彼氏は、あの言い方をするのよ。彼氏。」

「かれし。」

「そう。随分、上手になった。」

「やっぱり。普通に言うものと、普通に言わないものの差が、わからないわ。」

「あなたのような人をね、欧米ではトロフィーワイフというのよ。若い頃苦労して仕事して、年を取ってから成功した男の人が、今まで苦労を分かち合ってきた年を取った妻と別れて、若くて、綺麗な女の人を手に入れるの。いわば自分の勲章として。だからあなたは、綺麗でいることにだけ集中すればいいの。」

　ダリアは美しい。花だからではなく、生きているからだ。

「私ね、生まれ変わったら、とても貧乏な家に嫁ぎたいの。」

「どうして、ばーさん。」

「貧乏な家に嫁いで、家事をすべて切り盛りするの。少ないお給金でも、へそくりが出来るほど上手にやりくりして、赤ちゃんの服も、おもちゃも、みんな手作りするのよ。ごはんだって、お金がないってことを、旦那《だんな》さんに感じさせないように、工夫するの。」

「どうして、今の生活が嫌なの。たくさんお金がある生活が、嫌なの？」

「嫌じゃあないわよ。私は、本当に甘やかされてきたもの。何の苦労もしないで、美《お》味《い》しいものを食べて、ねえ、こうやってまごちゃんと、楽しく過ごせるのだもの。でもね、この人生が終わるのなら、生まれ変わって、違う人生を歩みたいのよ。まったく違う人生を。」

「貧乏は、大変なのよ。すごく。ばーさんみたいな甘ったれさんには、無理よ。」

「そうかもしれない。でも、やってみたいの。一生懸命頑張って、家事をして、でも、時々、旦那さんに悪態つくのよ。」

「なんて？」

「安月給！　とか、働きなさいよ！　とか。」

「そんなこと、私は言いたくないわ。」

「それでね、旦那さんにも、うるせぇ！　とか、言われるの。」

「嫌ぁよ、そんな人。おじいさんは、素敵な人だったのでしょう。そんなこと、絶対に言わなかったでしょう。」

「あの人は、私のことを、綺麗《きれい》だ、可愛いって、それぱかり言っていたわ。」

「最高じゃない。私も、そんな人と結婚したいわ。」

「素敵よ、素敵だったわよ。でも、それだけよ。」

「それだけ？　最高じゃない。ばーさん、いい？　女は、猫と一緒なのよ。野良猫を見てごらんなさい。顔に怪我《けが》をしていたり、体に怪我をしていたりして、いつも、憎々しげな、怖い顔をしているでしょう。苦労すると、女もあんな風になってしまうの。でも、家猫を見て。愛されて、甘やかされているから、とても可愛らしくて、綺麗なの。女は、家猫みたいに、愛されるべきよ。」

「家猫は素敵よ、もちろん。暖かい部屋とお食事を与えられて、ブラッシングしてもらえて、綺麗でいることだけを求められる。でもね、私は外に出て、鼠や蟋蟀《こおろぎ》を捕まえたいの。醜くてもいいわ、私は自分の影が、今の自分より、うんと濃くなったら、それで。」

「影？」

「そうよ、影。きちんと床に残る、立派な影よ。」

「ばーさんの影も、立派よ。」

「違うの。こういう影じゃないのよ。もっと黒くて、濡《ぬ》れているの。鼠や蟋蟀を捕まえた猫にだけ、与えてもらえる影だわ。」

「ばーさん、どうしたの。変よ。」

「それとね。」

「ええ。」

「私、生まれ変わったら、まごちゃんみたいに、たくさんの男の子とデートしたいの。」

「まあ。」

「たくさんの男の子を手玉にとって、キスをしたいの。」

「キスなんて、そんないいものじゃないのよ。」

「じゃあどうしてまごちゃんは、たくさんの男の子と、キスをするの？」

「それは、そうねぇ。それは、挨拶《あいさつ》みたいなものよ。」

「その言い方、今度は間違えていないわね。挨拶みたいなもの、だけど、キスは、決して挨拶じゃあ、ないでしょう。」

「そう。そうね。」

「まごちゃん、まごちゃんは綺麗よ。でもそれは、ただ綺麗なんじゃなくって、生きているからよ。私は、まごちゃんの年ではね、もう、死んでいた気がするの。」

「何言うの、ばーさん。ばーさんは、私のお母さんを産んで、立派な奥様だったじゃない。死んでなんかいないわ。立派に生きてきたじゃないの。」

「私こそ、生きてるみたいなもの、なんだわ。まごちゃんの言い方は、私に当てはまっているのよ。」

「ばーさん。」

「まごちゃん。忘れないで。私は、私の人生が好きよ。幸せだったと思うわ。でも、私は、生まれ変わったら、蟋蟀を捕まえたいの。鼠を爪でしとめたいの。血だらけになっても、傷を負っても、立派な馬を、乗りこなしたいのよ。」

「馬。ばーさん、変よ。」


「あなたのような人をね、欧米ではトロフィーワイフというのよ。若い頃苦労して仕事して、年を取ってから成功した男の人が、今まで苦労を分かち合ってきた年を取った妻と別れて、若くて、綺麗な女の人を手に入れるの。いわば自分の勲章として。だからあなたは、綺麗でいることにだけ集中すればいいの。お料理もお掃除もお洗濯もしなくていい。ただただ、ずっと綺麗でいることよ。」

誰に言われた言葉だったか。優しく、涼やかな声だった。

綺麗でい続けるだけの自分に、あの頃は、何の疑問ももたなかった。そしてその無知を、夫は愛した。それの、何が悪いというのだろう。

「ばーさん。」

枝里子が声をかける。

「なあに。」

「変なばーさん。」

「ええ、変ね。でもね、」

「なあに。」

「私は昔、それはそれは、綺麗だったのよ。」


ダリアが水を吸って、ことり、と動く。水は透明だが、決して悲しくはない。屋根瓦《がわら》の緑は、夕焼けのオレンジと混じり、ゆるやかに光っていて、楡《にれ》の木の黒い影は、地面に溶ける。

馬は、遠い廏舎《きゅうしゃ》で藁《わら》を食《は》んでいるが、それはひさ江が望んだ、あの馬ではない。体にたかる蠅を、尾を鞭《むち》にして追い払っていて、靴下をはいたように、くるぶしだけ白い。時折いななくが、泣いているのでも、誰かを呼んでいるのでもない。

郵便配達人は、枝里子に恋文を書く。枝里子の若木のような姿を、自分の頬に触れた唇を思い出すと、胸苦しさのあまり、眩暈《めまい》を感じる。郵便配達人は、切手を貼って投函《とうかん》した手紙は、彼自身が配達することになることを、知っている。彼は孤独だ。その孤独は律儀で、甘い。それは、彼の経験したことのないもので、彼は目を閉じていいものか、泣いていいものか、分からない。

作りすぎた蚕豆《そらまめ》のペーストは、台所で乾いていき、オーブンに入ったままのクッキーは、冷えていく。じわじわと、確実に。

それでも、二階のベッドにある死体は、いつまでも、薔薇色《ばらいろ》の頬をしている。いつまでも。

私のお尻

高価な陶器のようだ。

青みの直前の、瑞々《みずみず》しい白い色。触れるとそこから溶けてしまいそうな、ふわりと儚《はかな》げな佇《たたず》まい。はにかんだように、うっすらと桃色になっている部分は、かじると、きっと甘く、そこには瑞々しい張りがある。大袈裟《おおげさ》なほどくるりと曲がったカーブ、丸くて、少しはすっぱ、静かで、それは永遠だ。

綺麗《きれい》。

白くて、つるりとしていて、きゅう、と盛り上がっていて。

綺麗。

綺麗な、私のお尻《しり》。

街で声をかけられた。

「怪しい者ではありません。」

そう言って名刺を渡してきた男は、何の変哲もない、普通の男だった。

グレーのシンプルなスーツ、エビ茶色のネクタイ。普通の背丈に、普通の顔。

その日私は、三十歳の誕生日を迎えたところだったが、迷子になった幼い頃、両親以外の大人に声をかけられたときのような気持ちになった。男に対して恐怖を感じるより、ただただ、ぼんやりと、心もとなかった。

「あなたご自身の中で、少し、遠くに置いておきたいもの、はないですか。」

男は、そう言った。私にはその言葉の、意味が分からなかった。

「違う言い方をしてみましょう。少し、距離を置いて見守っておきたいもの、です。」

男の物言いは優しかったが、男が笑っているのか、それとも怪しげな顔をしているのかは、なぜか分からなかった。

「単刀直入に申し上げましょう。あなたの、お尻ですよ。」

それを聞いた時点で、逃げても良かった。大声を出しても良かった。でも、私はそうしなかった。どころか、その男に、子供の頃経験したような、無責任な興味を持った。

「はい。」

やはり迷子だ。

たくさんの見知らぬ人、知らない風景。そこに迷い込み、両親にはもう、永遠に会えないだろうと思っている幼い絶望の中で、自分を異世界に連れて行ってくれる魔術師に会ったような気分だった。両親とはぐれた時点で、自分は一度死んでいる。この先何が起こっても、恐れる理由さえないと、投げやりになった子供の、ふてぶてしさが、そのときの私には、あった。はっきり。

私は、パーツモデルをしている。

もっとも有名なパーツモデルは、「手」ではないだろうか。ハンドクリームのCMや、料理の広告、ネイルアートのポスターなどに見られる、血管の筋の見えない、細くて尖《とが》っていて、驚くほど綺麗な手は、彼女ら「手」のモデルのものである。アイシャドウの広告に使われる「目」専門のモデルもいるし、かかとの角質を取るクリームのCMに使われる「足」専門のモデル、耳栓のパッケージに使われる「耳」専門のモデルもいる。

私は、パンティストッキングや下着のCMや、エステティック・サロンの広告などの、「お尻」専門のモデルだ。

初めてこの世界に入ったのは、二十歳を過ぎた頃だった。私は当時、チェーン店のコーヒースタンドでアルバイトをしていた。

店の制服は、白いシャツに、ぴたりとした茶色いタイトスカートだった。私は器量が良くなかったが、この制服を着ているときだけは、男性の視線を感じた。それも、顔にではなく、背後にだ。

自分のお尻の形が綺麗なことに気付いたのは、その頃だった。他のアルバイトの女の子のお尻を見ても、ぺた、とうつむいているものやどこかの大陸のように広がったもの、とにかく、スカートを盛り上げるようにきゅっとあがった私のお尻とは、ほど遠かった。そして、道行く人を見ている限り、どうやら日本人女性のほとんどが、私のようなお尻を持っていないこと、つまり私のお尻が特別であることが分かった。

お風呂《ふろ》に入るとき、自分の背面を鏡に映して、私は度々うっとりした。形が綺麗なのはもちろんだが、吸い付くような手触りや、初々しい白桃のような白い色も、他の女の子は持っていないだろうと思った。

私は宝物を慈しむようにして、自分のお尻を洗った。そして夜は、お尻が苦しい思いをしないで済むように、うつ伏せで眠った。お尻は、私の寝息に合わせ、健やかに上下した。すぅ、すぅ、というその甘やかな音を聞くのが、私は好きだった。

男性店員や客からの熱烈な視線は恥ずかしかったが、振り返って急に声をかけたときの、彼らの動揺は面白かった。顔を真っ赤にしてしどろもどろになっている彼らを見ていると、自分がとても可愛い、人気者の女の子になれたような気がした。

でもそれも、ほんの一瞬だった。視線を上げた先に私の顔があると、彼らはすぐに落ち着きを取り戻し、そこに誰もいないかのような表情に戻った。彼らが興味を持つのは、ただひとつ、私のお尻だけだった。

私はよく、自分のお尻が自分の顔だったら、と考えた。きっと、たくさんの男性から愛され、慈しまれただろう。こんな可愛い女性に、会ったことがない、と、言われていただろう。私は、おでこに「おしり」と書いた私が、たくさんの人に追いかけられる夢を、度々見た。そして目が覚めた後は、静かに泣いた。

私の顔は私の顔で、私のお尻は、お尻だった。

ある日、町を歩いていたら、アルバイト情報誌を配られた。

ピアスをジャラジャラつけた胡散《うさん》臭い男が、女の子だけを選んで配っているような雑誌だった。いつもなら、すぐに捨ててしまうところだが、その日はカバンにしまった。持ち歩いている文庫本を忘れてしまったからだ。出勤前の三十分、私は他店で珈琲《コーヒー》を飲むことにしている。自分が働いているのとは別の系列店だ。一応ライバルといっていいその店に金を落とすことで、自分の店を裏切っているような、背徳的な気分になる。そのささやかな罪悪感と、復讐《ふくしゅう》の甘さに酔う。私の楽しみなんて、せいぜいその程度のものだ。

掲載されているアルバイトは、どれも水商売ばかりだった。

『一日体験入店OK☆　即金☆　時給五千円から☆』

『耳かきをするだけで一日一万円!!　楽しい仕事だョ！』

胡散臭い文句を眺めていると、なんだこれは、と軽蔑《けいべつ》する反面、時給八百五十円の自分の仕事を思って、ため息が出た。同じような時給かもしれないが、外資系のこの店では、お洒落《しゃれ》なエプロンを巻いた若い店員が、きゃ、きゃ、と文化祭前日のようにはしゃぎながら働いている。女の子は皆、顔で選んでいるのではないか、と思うほど可愛かった。

きっと、誰も私のように、男性からそこに存在しないような顔をされることはないだろう。そう思うと、こめかみを誰かにつねられているような気持ちになった。夢のように、今ここで、おでこに「おしり」と書いてやろうか、と、自虐的なことを思った。

夢から覚めたときのように、静かに悲しくなって、視線を落とした。その先に、『パーツモデル募集』の広告があった。

私は、天啓を得たような気持ちだった。


面接のために部屋に入ると、社長は、私のお尻《しり》を見て、満足そうにうなずいた。

翌週から、私のお尻はもう、カメラのフラッシュを浴びていた。


モデルの仕事は、楽しかった。

皆に凝視されながらの撮影は、最初こそ恥ずかしかったが、徐々に慣れ、最終的には、甘い快楽の時間となった。ついには、パンティストッキングやガードルのCMだと、「綺麗《きれい》な形」しかお見せすることはできない、と、歯がゆささえ感じるようになった。

私は、裸身の仕事もこなすようになった。

私がお尻を披露すると、男の人も、女の人も、皆、口々に叫んだ。

「この形！」

「この肌触り！」

「この色！」

「綺麗！」「綺麗！」「綺麗！」「綺麗！」「綺麗！」「綺麗！」

私のお尻は、生き生きとしていた。輝いていた。

当時のエステティック・サロンの広告には、ほとんど私のお尻が使われているし、CDジャケットにも、私のお尻が多々登場している。

私の手元には、大金が入ってきた。パーツモデルが、これほど儲《もう》かるものだとは思わなかったが、マネージャーに言わせれば、「この待遇は別格です」ということだった。

私のお尻は、やはり特別だったのだ。

私はお尻のおかげで、上井草のワンルームのマンションから、目黒の2LDKのマンションへ引っ越した。生まれて初めて革のソファを買い、間接照明で部屋を薄暗くして、浴槽に高価な入浴剤を投入した。

そして、人生初めての恋人を得た。

それまで私は、知らない男性に話しかけられたり、ましてや話しかけたりすることはなかった。アルバイト先のコーヒースタンドにも、好きな男性がひとりいたが、彼が他のアルバイトに話していた「好みのタイプの女性」が、私も知っている女性モデルであることを知り、自分のような人間が彼に思いを寄せていることすら恥じた。

街を歩いていると、私とそう違わない容姿の女性が、男性と仲良く歩いているところをよく見かけたが、私は彼女らがどうやってそういう状況に至っているのか、まったく想像することが出来なかった。現実の男性に話しかけ、あまつさえ恋に発展することなど、私にとっては宇宙の真理を知ることより、ずっと難しかったのだ。

しかし、パーツモデルをするようになってから、私は変わった。

宇宙の真理より難しかったこと、それは、「自信を持つこと」だった。私は、私のお尻のおかげで、自分に自信を持つことが出来たのだ。

大金を手に、私はエステティック・サロンに通った。高級な美容室で髪を整え、美容部員に教わった通りの化粧をし、仕立てのいい流行の服を着たら、私だって、人並みの女性になれた。

私を愛してくれる男性は、世の中に、たくさんいたのだ。

どうして、早くから自分を磨くことをしなかったのか。私は、過去を悔やんだ。

自分が愛し、慈しんでいたのは、いつだって自分のお尻だけだった。化粧をせず、コーヒースタンドと家を往復する毎日。上井草のアパートから出なかった休日。

私は、過去を忘れ、恋人との蜜月《みつげつ》に没頭した。やっと「現実」を捕まえているような気持ちになった。そしてとうとう、恋人を振ることまでするようになった。「気に入らないから」と、男性を自ら手放す私を、誰が想像できただろう。

恋人たちは、当然ながら、皆、私のお尻を手放しに褒めた。

「この形！」

「この肌触り！」

「この色！」

「綺麗！」「綺麗！」「綺麗！」「綺麗！」「綺麗！」「綺麗！」

私のお尻は、生き生きとしていた。輝いていた。


「なるほど。それは、さぞ幸福な時間だったでしょう。」

男は、古いソファに深く体を沈めながら、そう言った。

男についてやって来た雑居ビルは、古く、朽ちていたが、美しい造形をしていた。

昔はこんなビルヂングばかりだったんですよ、と言う男の年齢は、結局分からなかったが、彼の姿は、そのビルの朽ちた気配には、しっくりと馴染《なじ》んでいた。

通された部屋には、真っ赤なカーペットが敷かれ、古い柱時計がこち、こち、と、時を刻んでいた。

「ええ、幸せでした。秒針の音を、現実の一秒よりも、遅く感じた。ものすごく。世界の、何もかもを手に入れたような気持ちでした。」

「そうでしょう、そうでしょう。」

ソファに腰をおろした途端、あなたのお尻の物語をお聞かせください、と男に言われた。私はいぶかることなく、自分のお尻にまつわる話をした。人を警戒させることにおいては、これ以上ない展開を見せているのに、男はなぜか、こちらが深く、ゆったりとした呼吸をしてしまうような、健やかな空気をまとっていた。お尻の話を、なと言っているのにもかかわらず、性的な臭いがまったくしなかった。

「でも、いつからか、だんだん、自分のお尻を、憎らしく思うようになって。」

「ほう。どうしてですか。」

「ええ。なんていうか、みんな、私を見ないで、私のお尻ばかり見るから。分かっているんです。そのお尻も、私のお尻だっていうこと。私は、このお尻のおかげで幸せになれたっていうこと。でも、皆があまりお尻ばかり褒めるものだから。」

「なるほど。」

「変ですよね。」

「いいえ、ちっとも変じゃあ、ありませんよ。分かります。とても。」

恋人たちは、私のお尻ばかり愛《め》でていた。君のお尻は最高だ、とは言ったが、君は最高だ、とは、誰も言ってくれなかった。撮影の際、スタッフは「○○さん入られます」と、私の名前を呼ぶのではなく、「お尻入られます」と言った。

恋人は、私のお尻を愛してくれているのだ、ということ。私のモデルとしての需要はお尻なのだ、ということ。挙句《あげく》、私はそのおかげで今の暮らしを手に入れられていること。

十分に分かってはいたが、私は、私のお尻が、私という実体を超えて、皆に愛されていることに、嫉妬《しっと》のような愛憎のような、奇妙な感情を覚えはじめた。そしてその感情は、みるみるうちに膨らんでいった。

まず、うつ伏せで眠ることをやめた。私は「彼女」の呼吸を、聞かなくなった。寝返りをうつとき、お尻が「きゅう」と、悲しげな声をあげることがあったが、私は、「彼女」の声を無視した。そして、毎日高価なクリームをお尻に塗ることに、苦痛を覚えだした。以前、その時間は、至福のときだった。良い匂いのするクリームを、優しく優しくお尻に塗ると、塗った分だけ、お尻は輝いた。「嬉《うれ》しいわ」と、私に訴えた。しかし、マネージャーから「日課にしてください」と言い渡された瞬間から、その時間は義務を遂行するだけの、退屈で面倒な時間になった。クリームを乱暴にこすりつけると、「彼女」は「きゅう」と、また悲しげな声をあげたが、私は、「彼女」の声を無視した。

男に会ったのは、そんなときだった。

その日は、スタジオでエステティック・サロンの撮影をしていた。休憩時間に入り、珈琲《コーヒー》を持ってきたスタッフがカメラのコードにつまずき、珈琲を私に向けてこぼした。それはソファにねそべっていた私の顔にかかったが、「熱い！」と叫んだ私に駆け寄ってきたスタッフは、火傷《やけど》をしたのが私の顔だと知るや、

「ああ、良かった。お尻《しり》じゃなくて。」

と安堵《あんど》した。それを聞き、私はスタジオを飛び出した。

「それにしても、どうしてあなたは、私がこのお尻を手放したいということが、わかったのですか。」

私は、さきほどから疑問に思っていたことを、男に聞いた。

「すぐに分かりますよ。愛憎半ばの感情を持っている部位は、ぼやけて見えるのです。遠くから見ていると、あなたのお尻は、霞《かすみ》がかかったようになっていましたよ。」

「そうなんですか。」

「よく観察してごらんなさい。街ゆく人の中で、例えば顔がぼやけている人だとか、脚がぼやけている人だとか、胸がぼやけている人がいますから。」

「あ！ そういえば、昔テレビで、水木しげるさんを見たとき、ぼやけていました。こう、全体的に。彼もそうなのですか。実体を超えて自分を愛されてしまったことに対して、複雑な気持ちをお持ちなのかしら。」

「その方はきっと、あなたとは違う理由でぼやけているんです。私ほどになれば分かるのですが、彼の場合は、存在自体が不可思議なので、それに合わせ、彼のまとう空気もぼやけているのでしょうね。見てごらんなさい。黒柳徹子さんや、シルベスター・スタローンさんも、たまにぼやけていますよ。」

「そうなんですか。でも、例えば、体の部位だけじゃなくて、自分の才能や、頭の良さなんかに愛憎を感じている人は、どんなふうに見えるんですか。」

「簡単ですよ。自分自身のイメージしている部分がぼやけるんです。後頭部や脳みその部分がぼやけている人もいるし、手がぼやけている人もいる。目玉がぼやけている人もね。」

「頭は分かります。手は……才能、で、目は、どういうことですか？」

「そうですね。その方の場合は、あまりに観察眼に長《た》けている、ということでした。人の内実が、見えすぎてしまうのですね。」

「なるほど。」

「さて。お話はこれくらいにして。」

男は、ぱちん、と手を合わせ、立ち上がった。男が立ち上がると、時計の秒針の音が、速くなったように感じた。

「D室へ行きましょう。」

「D室？」

「あなたのお尻を、そこに置いておくのです。」

歩き出した男に、私はついて行った。螺旋《らせん》階段を降り、廊下を何度も曲がる。迷路のようだ。この建物はこんなに広かったのかと、驚いた。

「置いておくとは、どういうことですか。」

「作家が、あまりに売れすぎた自分の作品を絶版にすることがあります。作品自体は確かに自分の書いたものだけど、あまりに評価されてしまったそれに囚《とら》われないため、これ以上流通させない。それと同じです。あなたにとってのお尻が、彼らでいうところの作品だと考えてください。本のように絶版にすることが出来ないから、ここに、『置いておく』わけです。特殊な技術を使ってね。作家の中には、脳そのものを置きに来る方もいらっしゃいますがね。あるときから全く書けなくなった作家の何人かは、ここに脳を置いているからなのです。」

「じゃあ、置いている間は、彼らの脳や、私のお尻の部分はどうなるんですか。」

「一般的に本人が思っている、脳やお尻の概念をあてがいます。平均値の脳、平均値のお尻、とでもいいましょうか。大丈夫。概念といっても、一応形にはなっているので、見た目には分かりませんよ。ぼやけるようなこともありませんし。さあ、着いた。ここです。」

男は、「A」「B」「C」と書かれた扉の前を通り過ぎ、「D」の扉の前に立った。中は、うす暗かった。遺体安置所のように、壁一面に扉がついている。

男は、なれた手つきで左から二番目、上からみっつめの扉を開けた。すると、中からもくもくと煙が出てきた。薄い紫の、良い匂いのする煙だった。

「特殊な技術です。」

そこから、覚えていない。

気がつくと、私は、先ほどの部屋のソファに寝そべっていた。

はっとして手をやると、そこにきちんとお尻はあったが、手触りや、形が違った。

「やあ、目が覚めましたか。」

珈琲を手にして、男が部屋に入ってきた。

「あの、私のお尻は？」

「大丈夫。先ほどの部屋に置いてありますよ。」

「あの、これは？　この、お尻は？」

「言ったでしょう。あなたの思う平均的なお尻の『概念』です。これであなたはお尻に囚われることはない。あなたの実体を超えて愛されすぎたお尻は、今、D室で静かに眠っています。見ますか？」

「見れるんですか。」

「もちろん。あなたのですから。好きなときに来て、いつだって見ることが出来ますよ。そしていつか、あなたのお尻をあなたが心から愛せるようになったら、お返しするのです。」

男は珈琲を飲み干した。

私たちはまた長い階段を降り、何度も何度も角を曲がった。

「A、B、Cは何なのですか。」

「段階です。愛憎の強さによって、部屋を分けているんです。AからEの五段階あって、あなたはDだと判断しました。Aを見ますか。」

「見ても?」

「いいですよ。A段階の人は、恐らくあと百年ほどは、取りにこないでしょうから。」

男はくるりと踵《きびす》を返し、Aの扉を開けた。Dの扉を開けるよりも、もっと重々しい音がした。部屋は、Dの部屋と変わらなかった。壁中に設置された扉。しかし、違うところは、部屋の中央に、大きな棺がふたつ並んでいることだった。

「これは?」

「これですか。壁に並んだ箱に入らないものだから。体のすべてを置きに来た人間がいるんです。今までに、ふたりだけですが。」

「すべてを?　その人はどうなるの?　死んでしまうんじゃ?」

「いいえ。その人の思う人間の『概念』をあてがうのです。全部、まるごと。そうですね。だから、社会的には死んだも同然です。まったく違う自分になるのだから。」

男はそう言うと、棺を二つとも開けた。私は棺のひとつを見て、あっと声をあげた。

「この人。」

「そう。太宰治《だざいおさむ》です。」

何冊か文庫本を持っている。自戒に満ちた作品を読んで、疼《うず》くほどの共感を覚えたが、著者の写真がハンサムなのを知って、がっかりしたことがある。

「彼は、自殺したのではないんです。玉川上水で発見されたのは、彼の抜け殻のようなものです。今でも、彼は生きているんですよ。彼の思う人間の男、という姿で。概念に、年齢はありませんから。」

「自分のことが嫌いだったんでしょうか。」

「彼の場合作品や彼自身を超えて、『太宰治』という存在が、あまりに強烈すぎたのですね。ここに『太宰治』を置きに来たとき、彼はほっとした、子供のような顔をしていましたよ。」

「もうひとつの、この、綺麗《きれい》な女の人は？」

「この女性ですか。百三十年ほど前に生きた女優です。美貌《びぼう》と演技を褒め称《たた》えられ、その才能に感嘆され、皆に愛された、愛されすぎた女優。その人の実体を超えてね。若くして失踪《しっそう》したことになっていますが、生きていますよ。彼女の望む概念の姿で。」

「そうなんですか。」

「さあ、あなたのお尻《しり》を見に行きましょう。」

男は丁寧に棺を閉めると、私を先導するように、A室を出た。

D室に入ると、私は自分の心臓が高鳴るのを感じた。自分のお尻を、自分から離れた状態で見ることなど、もちろん初めての経験だ。

「ここです、いいですか。」

男は、緊張している私をよそに、キャラメルの箱を開けるように、簡単に扉を開けた。

「ああ……。」

思わず、ため息が出た。

綺麗。

なんて綺麗なのだろう、私の、お尻。

思わず手を伸ばしたが、私の手はガラスにさえぎられて、届かなかった。

「いつでも見に来てください。」

男はそう言った。

「もう一度言います。あなたが、いつか本当に、心から、あなたのお尻を愛することが出来るようになったら、お返ししましょう。これは、あなたのお尻なんですから。」
私の目から、涙が溢《あふ》れてきた。これは、私のお尻だ。私の。私の。ああ、なのにな
ぜ、愛せないのだろう。いいえ、こんなにも、愛している。なのに、憎くて仕方がな
い。
私を決定的に変えてしまった、私のお尻。
「あなたは、」
私は、振り返らずに言った。男の顔を、どうしても思い出せなかった。優しそうな
声、綺麗なスーツ。それ以外、男を「その男」たらしめているものはなかった。男は、
あまりに曖昧《あいまい》だった。
「あなたは、誰なんですか。」
男は、ふふ、と笑った。
「お気づきでしたか。」
男には、性的な陰りがなかった。私がいぶかることなく彼についてきたのは、彼か
ら、においたつ「女」を感じたからだ。
「私は、愛されすぎたのです。初めはただ、演じていれば、それで幸せだった。カメ
ラを前に、観客を前に。そして、私の美しさを皆に賞賛されること、それが快楽だっ

た。世界のすべてを手に入れたと思った。私は、本当に、本当に、幸せだった。幸せだったのに。」

私は振り返った。

男は、まっすぐ私を見つめていたが、男の顔は、どうしても私の意識にのぼってこなかった。

「幸せだったのに。」

男の声は、澱《よど》んだ空気の中に溶けていった。

「きゅう。」

私のお尻が泣く。その声をさえぎるように、私は目を閉じた。

舟の街

あなたは思い立って、舟の街へ向かうことにした。

舟の街は、地図に載っていない街だ。北海道と沖縄の間のどこかにあるらしいのだが、なにぶん広いエリアであるし、昭文社もカバーしきれておらず、「災害地図」にも載っていない。当然最寄り駅はどこか分からないうえ、道行く人に「舟の街はどこですか」と聞いても、首をかしげるばかりだ。

だが、確実に舟の街はある。

どうして確実といえるかというと、そこから戻ってきた、という人がいるからだ。それも、数人ではない。

彼らは舟の街で数ヶ月、または数年を過ごし、幾分ふにゃふにゃとした顔になって戻ってくる。どうやって戻ってきたのか、と聞くと、彼らはこう答える。

「なんとなく、戻ってもいいかなと思ったら、戻ってこれた。」

あなたも、舟の街から戻ってきた知人に、同じようなことを聞いたことがある。彼女も、皆と同じ答えを口にした。それは、まったくちんぷんかんぷんなものであったが、そう答える彼女の顔が、あまりに決然としていたので、聞くのがはばかられたのだ。

では、どうやって舟の街に行ったのか、と、あなたは聞いてみた。

「あのね、本当に本当に参ってしまって、それで思ったの。舟の街に行こうって。」

それは動機であって、方法ではない。でも、答える彼女の顔が、やはり、あまりに決然としていたので、あなたは口をつぐんだ。

そしてそのまま、舟の街のことを、忘れてしまっていた。

ある日、あなたは、徹底的に参ってしまった。

簡単に言うと、あなたは失恋したのだったが、彼が三年間付き合ったあなたを捨てて手に入れた女の子は、ふわふわとした栗色の巻髪、背が小さくて唇がぷっくら、大きな目が潤んでいておっぱいの大きい、あなたの昔からの親友だった。

「どうして、まきちゃんを選んだの？」

あなたが彼に聞くと、彼は、

「だって……、まきちゃんは栗色の巻髪で、背が小さくて唇がぷっくらしているし、大きな目がいつも潤んでいて、何よりおっぱいが大きいんだよ。」

と答えた。そして、実はまきちゃんとは、二年十ヶ月前からつきあっていたんだ、とも言った。

「そこは同情してくれよ。二年十ヶ月、僕は君とまきちゃんの間で悩んでいたんだ。もちろん、まきちゃんは栗色の巻髪で背が小さくて唇がぷっくらしていて、大きな目がいつも潤んでいて可愛いから、すぐに一目ぼれをしてしまったんだけど、君は君で、力もちだし、体が柔らかいし、化粧をしないところなんかが魅力的で、それにいい子だったたし、すぐに見捨てるのは、かわいそうだと思ったんだ。」

「そんな。」

「もう、三十歳を超えてたし。」

「でも、あのとき捨ててくれたら三十一歳でひとりだったけど、今捨てられたら、三十四歳でひとりなんだよ？」

「それは、考慮に入れてなかったよ。」

「そんな。」

「とにかく、ごめん。僕、まきちゃんときちんと付き合いたいんだ。」

あなたは、呆然《ぼうぜん》としたまま家に戻り、携帯電話で『まきちゃん』にコールしてみたが、まきちゃんは出なかった。数日後、まきちゃんから「ごめん」というメールが届いた。しかし、あなたはその頃には、携帯電話を捨ててしまっていたから、そのことを知ることはなかった。

あなたは、毎日布団にもぐっていた。

会社から連絡があっても、もしかして彼から連絡があったとしても、やはり携帯電話を捨ててしまっていたので、あなたは誰とも言葉を交わすことはなかった。両親は老後を南の島あたりで暮らしていて、よほど居心地がいいのか、時折手紙を寄越《よこ》す以外は、あなたに連絡を取ろうとすることはなかった。兄弟はいないし、元々頻繁に誰かと連絡を取るようなタイプではなかったあなたが、社会から消えてしまうことは、簡単なのだ。

涙は、出なかった。

昔から、あまり泣く方ではなかったが、それでも、本当に悲しいときには涙は出た。おばあちゃんが死んでしまったときや、希望していた高校の入学試験に受からなかったとき、あなたはお風呂場《ふろば》で泣いた。お風呂場で泣くと、涙がそのまま湯船に消えていくからだ。あなたは、涙に慣れていなかった。洋服や首筋が、涙で濡《ぬ》れることが嫌だった。

今回、布団がびちょびちょに濡れて、たとえ部屋中が涙まみれになっても、あなたは涙を流すだろうと思った。お風呂場に行くまでもない。ここで、この布団の中で、涙を流し続けて消えてしまうのだろうと、あなたは思っていた。

だが、涙は出なかった。

そういえば、ここ数日間ろくなごはんを食べていないな、と思った。涙が出ないのも、それが原因かもしれない。涙の中にも、何か栄養のような成分が入っているのではあるまいか。いつも、すぐに湯船に消えてしまうので分からなかったが、知人が、涙はしょっぱいのだ、というようなことを言っていたからだ。

「塩分。」

あなたは、そう自分に言い聞かすようにして、台所まで、這《は》って行った。立ち上がる力がなかったわけではないが、立ち上がる気分ではなかった。ずるずると這っていくあなたの目の前に、床に溜《た》まった埃《ほこり》や、髪の毛が見えた。髪の毛をつまみ上げてみると、黒くて硬くて太くて、まきちゃんのそれとは、ちっとも似つかなかった。

あなたは床につっぷしたが、やはり、涙は出なかった。

冷蔵庫には、食パンとマーガリンとキムチと卵と牛乳とポカリスエットしかなかった。あなたはまず、てっとりばやく水分を摂《と》ろうと思い、ポカリスエットを飲んだ。ごく、ごく、ごく、と喉《のど》を鳴らして飲むと、胃がぐるぐるといった。次に、食パンを手に取った。六枚切のものが四枚残っていたので、全部食べた。マーガリンを塗るのが面倒だったので、指でマーガリンを掬《すく》い、食パンと交互に食べた。その頃には、あなたは塩分のことなどとうに忘れてしまっていたが、あなたの指と唇は、脂でてらてらと光り、綺麗《きれい》だった。キムチは賞味期限を数週間過ぎていたが、どうせ元々発酵しているのだから、と、すべて口に放り込んだ。卵を生のまま飲むのは抵抗があったので、牛乳パックの中にみっつ割りいれ、パックを思い切り振って、ごくごくと飲み干した。ミルクセーキみたいな味がするだろうと思っていたが、甘さのない、ただの卵と牛乳の味だった。

あなたは、数十分の間に、それらのことをした。あなたの胃は驚き、拒否し、あなたは胃に入れたものをすべて吐き出した。

涙の代わりに、床に広がった灰色がかった吐瀉物《としゃぶつ》を見て、あなたは思い立った。

舟の街に行こう。

頭からすっかり消えていたわけではなかった。舟の街から帰ってきた友人の、幾分ふにゃふにゃとした、しかし晴れ晴れとした顔が目に浮かんだ。

「本当に本当に参ってしまって、それで思ったの。舟の街に行こうって。」

今がそのときだ、と、あなたは思った。


舟の街に行くには、バスも電車も必要ない。

何度も言うが、最寄り駅も、バス停もないからだ。本当に本当に参ってしまったとき、力を振り絞って外へ出、近所を歩く。そして、いつもは曲がらない角で曲がってみる。または、存在すら知らなかった路地に入ってみる。

天気のいい日がいい。眩《まぶ》しくて目を細めたり、おでこを温められてぼんやりしてきたとき、あなたは電柱に貼られた住所のプレートが、「ふね一丁目」となっていることに、気づくはずだ。そう、舟の街は、いつの間にかついてしまう街であるため、誰も、その行き方を知らないのである。

あなたはそうやって、舟の街にたどり着いた。

荷物を持っていないどころか、部屋着のジャージのまま、もちろん化粧もしておらず、足元などは赤いサンダルだった。初夏。花粉も収まり、風はまだ涼しく、肌に心地よかった。

あなたが最初にしたのは、不動産屋に入ることだった。せっかく舟の街に着いたのだ。相当参っていることだし、しばらくこの街に住んでみようと思った。財布だけはジャージのポケットに入っているが、スーパーで何かを買う程度のお金しか入っていない。それでもあなたは、舟の街に入ったときからあなたを包んでいる、奇妙な自信をもって、目についたすみれ色の不動産屋、「いえや」に入った。

「やあ、いらっしゃいませ。」

あなたが足を踏み入れると、カウンターの向こうに、黒いサングラスをかけた、色の白い男が座っていた。彼は古びたスーツを着ていたが、随分幼いように見えたし、髪の毛はふさふさとしていたが、随分年を取っているようにも見えた。

「あの、この街に住みたいんですけど。」

「あ、偶然ですよ。住んだらいいじゃない？」

おはよう、と挨拶《あいさつ》を言うときのように、男がそう言ったので、あなたはますます自信を得た。男の前に座ると、男からは、豆を炒《い》ったような、香ばしい、いいにおいが漂ってきた。

「広さはどれほどくらいほどがいいほどですかねー？」

「はあ、そうですね、八畳くらいあればうれしいです。」

「はちじょう？」

男は、不思議そうな顔でそう言ったが、すぐに態度を改め、

「はちじょうねー！　ほとんどそうですよね！」

　と言った。そして、一枚の真っ白い紙を取り出し、

「ここ、ここ、に、あのー、もちろん書いてください。」

　と言った。

「何を書けば？」

「うーん、約束のことです。家を貸すわけでしょー？　僕が、あなたに。だからこのね、ちゃんと返してくれる約束のことなんだって。」

「ああ、サインですか？」

「それは書くほうのさいん？」

「そうです。」

「それっす。」

　紙を出すときに、指を切ったのだろうか。男は、自分の人差し指を、丁寧に舐《な》めている。あなたは、その白い紙に、渡された黄色い色鉛筆で、あなたの名前を書いた。

「はい、これが、鍵《かぎ》です。挿してまわせばなんとかなるってやつ！」

　男は、初めて嬉《うれ》しそうにそう言うと、あなたの手にぴかぴか光る銀色の鍵を渡した。

あなたはその鍵を持って、「いえや」を後にした。

あなたが住むことになる家を、当然ながらあなたは知らなかったが、好きなように歩いていれば、きっとそこに着くのだということだけは分かった。あなたは、ジャージ姿のみっともなさを忘れて、歩いた。

街の景色は面白かった。道路はふわふわの芝生に覆われ、カラフルな、おもちゃのような家がひしめきあっている。家はどれも、いやに縦に長く、窓から、さっきの男と同じような、香ばしい、よいにおいが流れてくる。時々、家の前に置かれたビクトリア調の椅子に座っている、あごひげが立派なおじいさんや、驚くほど美しい女の人が、あなたを優しく見つめる。

あなたがたどり着いたのは、薄いオレンジの壁の、やはり縦に長い家だった。間違いない。表札にはすでに、丸いクッキーのような字で、あなたの名前が書かれていた。

挿してまわせばなんとかなる鍵で、中に入ると、外見よりも、天井がぐんと高く見えた。その天井からまっすぐ、色とりどりの木の棒が数本、床まで届いていて、そこにはハンモックが吊《つ》ってあったり、ロープが通してあったりする。床はふかふかのラグで覆われていて、やはり、いい匂いがした。座り込むと、心地よさのあまり、あなたはそのまま、ぐっすり眠ってしまった。二日間。

三日目に目を覚ますと、あなたは、ずっと感じていたまぶたの辺りの重さから、解放されていることに気づいた。まばたきするたびに、ぐわん、ぐわん、と、黒い幕が落ちるような気がしたものだったが、今、あなたが目をつむると、それはぱちぱち、と、可愛らしい音を立てるだけであった。

その日は一日、部屋のラグの上にうずくまっていたが、次の朝を迎える頃には、外へ出たくなっていた。そして五日目には、本当に外へ出て、あたりを歩き回った。六日目には、首筋がしなやかになり、七日目には、ふくらはぎの筋肉の若々しい張りを感じた。八日目には、どくどくと全身に送られる血液の流れを感じたし、九日目には、太陽の光を浴びて、細胞がぷちぷちと跳ねているのが分かった。

そして一ヶ月もすると、あなたの唇から、歌が漏れ出していた。


舟の街の暮らしは、とても快適だった。

財布を使う必要はなかった。あなたが何かを食べたい、と思えば、それはなんとなく手に入った。誰かが持ってきてくれることもあったし、「たべものや」というお店に入れば、あなたが食べたいものが大抵目の前にあった。「たべものや」の主人は、

グレーがかった髪をした、太った女の人だったが、あなたがお金を渡そうとすると、決まって、

「ご冗談だけしか！」

と言い、決して受け取ろうとしなかった。

近所に顔見知りも出来た。

斜め前の金色の家、その前においてある立派な椅子に座っている、シルクハットをかぶった老人は、名前を山本原《やまもとはら》さん、という。青い目と白い髪、立派なあごひげはどう見ても外国人だったが、彼は日本語が上手だった。彼はよく、

「どうです？　エクレアでもすごく見つめませんか？」

と、あなたを誘ってくれた。あなたは部屋にあったディレクターズチェアを彼の隣に持っていき、彼の手に置かれているエクレアを、じっと見つめた。それは甘い匂いがして、ふわふわとしていて、とても素敵な眺めだった。

あなたがそのことを山本原さんに言おうとすると、山本原さんは決まってぐっすり眠っていて、時々寝言で、

「あ〜あ、小さな穴がすごくあればいいのに！」

などと言った。山本原さんの寝顔は、生まれたての赤ん坊のように安らかだった。

毎朝散歩の途中にあなたの家に寄ってくれる、少し目の離れた、つやつやした綺麗《きれい》な黒髪の女の子は、名前をアミチェといった。とても素敵な名前、とあなたが言うと、

「まあ、最近はレストランが流行《はや》りってんだしね。」

と、幾分澄ました声で答える。アミチェは気取っているがとてもやさしくて、毎朝あなたの部屋に、いいにおいのする花や、ころんとして可愛らしい木の実や、珍しい色のビニール袋などを持ってきてくれた。

あなたがお礼に紅茶を淹《い》れたり、ケーキを出すと、アミチェは、

「これ、ぜーんぶ、知ってるわよ！　思い出というやつでしょ？」

と言った。アミチェの可愛らしい口が、それなのにぺろりと食べ物を飲み込んでしまう奔放な様が、あなたは、好きだった。

舟の街は、ほとんど晴れていたが、中でも素晴らしい陽気、指の間くらいの暖かさで、風が焼いた食パンのように乾いていて、空に奇妙な形の雲が浮かんでいるようなときなど、裏に住んでいる空太郎君という男の子が、散歩に誘ってくれた。

空太郎君は茶色くすける髪と、すう、と通った鼻筋が美しい小さな男の子だったが、子供のように手をつないだりはせず、いつもあなたの前を先導するように歩いた。その様は大変勇ましく、危険なことなど何もないこの街でも、あなたを安心させ、甘や

かされたカンガルーの赤ちゃんみたいな気もちにさせてくれるのだった。

「ほら、あの雲はさっきから白くてさ。空は細いので、一昨日《おととい》くらいから。」

空太郎君の指差す先には、マシュマロを立派にしたような雲がぷかぷかと浮かび、その前をかすめるようにして鳥が飛んでいる。空太郎君は鳥を見ると、

「げー！」

と声をあげ、手を伸ばしたり、ぴょんぴょん飛び跳ねたりするが、その頃には、あなたはあまりの心地よさに、眠ってしまっている。

そう、あなたはよく眠るようになった。

部屋のラグが、ゆれるハンモックが、山本原さんの肩が、芝生を敷いた道が、たびたびあなたを眠りに誘い、あなたはその誘惑に素直に従った。誰も、そんなとこで、なんて言わなかったし、やはり、あなたのみすぼらしいジャージをからかったりもしなかった。

あなたはいつでも、好きなときに眠り、好きなときに食べた。

あなたは、あまりに無自覚となった。

自分が、自分という輪郭をすり抜けて、空気に溶けていくような気がした。それはとても、自由なことだった。

ある晩、部屋の扉を叩《たた》く音がした。

こつん、こつん、ではなく、たしん、たしん、という柔らかな音なので、あなたはそれが、アミチェであるとすぐに分かった。しかし、こんな夜中にアミチェが部屋にやってくることは、珍しいことだ。

あなたが扉を開けると、はたせるかな、そこにはアミチェがいた。

アミチェはいつものように、するりとあなたをすり抜けて部屋に入ってこようとはせず、

「行こう。」

そう言うと、くるりと背を向けて歩き出した。あなたは不意をつかれたが、アミチェの様子があまりにも厳かだったので、思わず、後に従った。

サンダルを履かなくても平気だ。ふわふわとした芝生は足の裏にやさしいし、何より前を歩くアミチェも、綺麗な足に、何も履いていなかった。

夜風が涼しかった。

もうすぐやってくるはずだった夏は、どういうわけか、いつまでたってもやってこない。あなたの足元から、時折ぶうん、と羽音を立ててバッタが跳躍を競い、乾いた

芝生からは、まだ日向《ひなた》のにおいがした。

アミチェが足を止めたのは、ある公園だった。

この街へやってきてから、あなたは近所を随分と歩き回ったはずだが、この公園のことは知らなかった。そこは、銀杏《いちょう》の木にぐるりと取り囲まれた、小さな公園だった。滑り台がひとつと、ベンチがふたつほど、ぽつんと置いてあり、砂場は濃い灰色で、しっとりと濡《ぬ》れている。道まで続いていた芝生はここにはなく、小学校の校庭のような黄土色の土が、ひたひたと夜に沈んでいた。

そこには、みんないた。

「いえや」の男の人（名前はスギさんというと、後で知った）、「たべものや」のおばさん（バニラさん、なんていう可愛らしい名前だった）、山本原さん、空太郎君に、椅子に座っているのを見た、とてつもなく美しい女の人、すれ違ったことのあるぽちゃぽちゃと太っていて、頭の禿《は》げた男の人、おかしな口ひげの紳士もいるし、真っ白い髪の毛を腰まで伸ばした、とても上品なおばあさんもいる。

みんな、ベンチや、砂場や、それぞれ思い思いの場所に腰をおろしたり、ぼうっと立ち尽くしたりしている。誰も話さない。山本原さんはまたエクレアを持ったまま目をつむっているし、美しい女の人は、手で自分の髪の毛を、熱心に梳《す》いている。

アミチェが、空いているベンチのひとつに腰掛けても、その足元にあなたが腰を下ろしても、誰も、何も言わなかった。いつもは、何かしらの挨拶《あいさつ》を交わしてくれるみんなが、今日はいやに無口だ。でも、そんなみんなの気まぐれにも、あなたは慣れていたので、おとなしく皆の雰囲気に、体を預けた。

音のない音がした。

両手でドームのように耳を覆ったときに聞こえる、あの「しいん」という音、古いビデオテープを、音を消して見るときのような、ちりちりと焼けるような音が、聞こえた。

いつか、あなたの意識があなたの体から抜け出していくと思ったときと同じように、あなたと、空気の間の境界線がぼやけ、他の皆のそれらと混ざり合い、あなたは水の中で、足を抱えて浮いているような、静かな安心感の中にいた。それはやはり、とても自由なことだった。

月が大きく、それは、あなたが見たこともないほどのもので、銀色で、濡れているようで、太陽よりも存分に、あなたたちを照らしていた。手を伸ばせば、そこに触れることが出来そうな、でも、あなたの手は空気と混ざり合い、あなたはいつまでもふわふわとした心地で、地面にわずかに残った暖かさを、感じていたのだった。

何もしなかった。

みんな、何もしなかった。

アミチェがどうしてここにあなたを連れてきたのか、みんながどうして集まっているのか、あなたには分かるはずもなかったが、分かるつもりもなかったし、何よりあなたはそのとき、久しぶりの体験に手を染めていた。

泣いたのだ。

あなたはぽろぽろと、涙を流していた。

恋人の顔や、『まきちゃん』という液晶の文字や、流し台に横たわった食べ物の残《ざん》骸《がい》や、床に落ちていた毛や埃《ほこり》や、それらがぐるぐるとあなたの頭の中をまわったが、結局最後に浮かぶのは、丸くて大きく、銀色をした月であったり、しっとりと濡れた砂場であったり、あなたの周りに座っている、みんなの佇《たたず》まいであった。

あなたはお尻《しり》から感じる、土のほのかな暖かさだけを信じれば良かったし、しいん、というその音なき音に、ただ耳を澄ませていれば良かった。

「どうです？　すごく冷たいのかって。」

気がつけば、あなたのすぐそばに、山本原さんがいて、エクレアを手に握ったまま、あなたをじっと見つめていた。アミチェも、空太郎君も、口ひげの紳士も美しい女の人もスギさんもバニラさんも太った男の人も白髪のおばあさんも、あなたを見た。

そして、山本原さんが、おもむろに、あなたの涙を、ぺろりと舐《な》めた。

「思ったより、すごくぬるい。」

アミチェも、あなたの涙を舐めた。

「しょっぱいっていうのは、特権的なビルディングよね。」

みんな、あなたの涙を舐めた。あなたの手の甲についたそれ、あなたの膝《ひざ》に落ちたそれ、土にしみこんでいったそれを、ぺろりと舐めた。

「新鮮って書くほう？」

「透明だけしか！」

「いやツブツブでも見つめてみて。」

「一昨年《おととし》からずっとまっすぐ。」

「初めてのふー。」

「ふごー。」

「みー。」

たくさんの猫たちに囲まれて、あなたは、この公園が、あなたの家のすぐ近くにある公園だと、思い出す。銀杏公園。月は、まっしろ。

舟の街から戻ってきた（というより、あなたはずっと、あなたの街に住んでいたのだが）あなたは、少し太って、少しわがままで、そして、随分《ずいぶん》泣き虫になっていた。

あなたの腕は、力強く風を切ったが、風とあなたの間に境界はなかった。しばしば自分の体から意識が抜け出すことがあったが、世界と自分との境界が曖昧《あいまい》になればなるほど、あなたは自分の存在を強く感じた。

あなたは、よく笑った。

あなたは、栗色の巻髪でなくて、背が小さくなく、唇がぷっくらしておらず、大きな目でもなくそれがいつも潤んでおらず、おっぱいが大きくない「あなた」、ではなく、長身で、猫背ぎみの、下唇の薄い、すらりと切れ長の目の、まっすぐで太い黒髪を持った、少しの勇気と正義感と、多目の卑怯《ひきょう》と嘘を持った、誰でもない「あなた」になった。きちんと。

あなたは、時々、あの銀杏公園に行ってみる。

そこには、香箱を作った猫たちが、思い思いの方向を見て、律儀に、何もしていなかった。

その、丸くなったさま、黄土色の土に腰を落ち着けているさまは、茫洋《ぼうよう》とした大海に浮かぶ、小さくて意思のある、しかし波に身を任せることの出来る、立派な舟のように見えた。

ある風船の落下

東京都生活史

体が浮き始めたのは、四月の半ばだった。

初めは、なんとなく、歩きづらいな、と思う程度だった。足元がいやにふわふわとしていて、思考がおぼつかない感じだ。熱でもあるのか、などと思っていたら、ある朝、私は、はっきりと地面から浮いていた。ほんの数センチだったが、つま先を必死で伸ばしても、地面のどこにも触れなかった。

ああ、と思った。とうとう私にも、「それ」が来たのだ。

世界中で「風船病」の症例が見られるようになったのは、数年前のことだった。溜《た》め込んだストレスがガスとなり、体を膨張させる奇病である。

最初に風船病に認定されたのは、シカゴに住む二十五歳の女性だった。

彼女は十七歳のときから同じ時計屋で働いていた。時計屋は狭く、壁中に売り物の掛け時計が飾ってあり、それぞれ勝手に秒針を刻んでいた。カチカチ、というその音は彼女を悩ませたが、いつしかそれにも慣れた。

彼女は二十一歳のときに結婚した。相手は売れない作家であったため、彼女は、収入のために、慣れた時計屋をやめることはなかった。そのときも、別段それを嫌なことであるとは思わなかった。

しかし、不幸なことに、夫である作家には、ある癖があった。

筆が進まないときやプロットを練っているとき、指で机をコツコツと叩《たた》くのだ。

一日中秒針の音を聞いて帰宅した彼女が聞くのが、「書けない」夫が机を叩く、コツコツという音。いつしか彼女は眠っている間も、その音が頭の中で鳴っていることに気付いた。最悪なことに、夫の「コツコツ」は、秒針の「カチカチ」とは、微妙にズレていた。「カチカチ」は、それぞれ勝手に鳴っていても、正確に一秒を刻んだが、夫の「コツコツ」は一・四秒だった（正確な数字である。彼女ほど長く時計屋で働いていると、分かるのだ）。

ある日、彼女は、自分の体が膨らんできていることに気付いた。そんなに食べてはいないが、太ったのだと思った。

しかし、違った。彼女の知らぬ間に、ストレスが体内で化学反応を起こしてガスとなり、胸部、次に腹部、臀部《でんぶ》と、体中に広がっていったのだ。

それが新しい病気であると、WHOに認定された。彼女は世界初の風船病患者になったのである。

新聞に掲載された彼女の写真を、私は今でもはっきり覚えている。隈《くま》ができた目、げっそりとこけた頰、にもかかわらず、その体は文字通り風船のように膨らみ、小さな顔と複雑なコントラストを成していた。彼女は取材にこう答えている。

「お医者さまには、治療のために時計のない生活をしなさい、って言われてるんです。今では、マサイ族でも、立派なロレックスをつけているのに。」

風船病にかかった人間を、アメリカでは「BALLOONIST」といい、最先端の医療による原因究明と治療法の開発がなされた。が、体内に溜まったガスの成分が、限りなく水素に近い気体であるということが確認されただけで、結局患者は増え続け、BALLOONIST専用の衣料店が各地に開店する頃には、日本にも病の波がやってきた。

大きく膨らんだ体をもてあましながら、申し訳なさそうに満員電車に乗り込んでくる風船病患者を、私も何人か見た。ワイドショウでは連日風船病の特集が組まれ、そているのだと、コメンテーターたちが勝手にコメントしていた。そしていつしか、そのコメンテーターの体が膨らみ始めている、ということが多々あった。テレビに出ている人間にこそ、ストレスは溜まるものだ。

そんな中、衝撃のニュースが世界を襲った。BALLOONISTのひとりが、宙に浮いたのである。

ストレスが原因とはいえ、体が風船のように膨らむという、どこかおとぎ話の主人公のようなBALLOONISTは、宙に浮くことで、よりその寓話《ぐうわ》性を増した。彼らはとうとう、重力の抑圧を受けなくなったのである。

その頃には、体内の限りなく水素に近い成分は、空気を一とした場合の水素の比重〇・〇六九五をわずかに上回るだけなこと、そしてその比重は不思議なことに、体が膨らめば膨らむほど下がるということが分かった。つまりストレスが増えるほど、その容貌《ようぼう》とうらはらに、体が軽くなるのである。

ヨハネスブルグ在住の二十七歳の男性が、最初に宙に浮いた人間であったが、地上の世界から遠く飛び立って消えた最初の人間は、福建《ふっけん》省の四十二歳の女性だった。

彼女は風船病にかかり、またたくまに重力の抑圧を受けなくなった。数センチだった浮遊は、ある日、数十センチ、数メートルになり、彼女はしがみついたベッドもろとも浮き上がった。そして最終的には、土の天井を突き破って、空へ飛び去ってしまった。後に空からベッドだけが落下、近隣の家を破壊したが、その残骸《ざんがい》を写した写真は、世界中に衝撃を与えた。

彼女の家族は嘆き悲しんだ。しかし、彼らの涙が乾かないうちから、世界中で同様の風船病患者があらわれ始めた。

風船病、という名ではあるが、その飛翔《ひしょう》は風船のそれとは異なる。

初めはゆっくりと浮き上がるのだが、突然、水鉄砲の水が発射されるごとく、あっという間に飛び上がる。天井が鉄筋であろうがコンクリートであろうが、どれだけ強力な鎖で体を繫《つな》がれていようが、間違いなく「その」ときがくれば、何ものをも破壊し、空のかなたへ飛んでいくのである。学者たちはそれを「SHOOT」と呼んだ。

風船病患者には、よっつの段階がある。学者たちはそれぞれを「TERM1」から「TERM4」として、世界に発表した。

TERM1は、体が膨らむ状態であり、まだ浮遊はしていない。TERM2は、体が浮遊しているが、二センチほどの高さを保っている状態である。TERM3は、二センチの浮遊をやめ、宙に浮き出す状態である。しかし、TERM3はごく短時間であり、SHOOTの前段階に過ぎないので、勘定に入れなくても良い、とする学者もいる。TERM4は、言うまでもなくSHOOTだ。SHOOTの行く末は分かっておらず、帰還した者はいない。NASAの人工衛星でも、その姿は確認できないため、SHOOTを経験した患者は大気中で爆発するか、気体化して消滅するのであろう、と言われていた。そのため、TERM4を、「TERM FINAL」と呼ぶ学者もいた。

自分にもいつSHOOTが訪れるのかと、風船病患者とその家族は恐れおののいたが、中には、地上で苦しんで死ぬよりはいいと、それを喜んで待つ者さえいた。そして、そういう患者が増えることにより、風船病の最期、つまりSHOOTは、一種の自殺ではないか、と提唱する学者もあらわれた。

空中に消える風船病患者の人数が、近年の各国における自殺者の人数と比例していることが、その考察を後押しした。そしてもうひとつ、ある少年の症例があった。

アテネに住む十四歳の少年は、飛び立った後、数十メートルで飛翔が停止、SHOOTの直前、つまり前段階にすぎないといわれていたTERM3の段階で、家族の元へ落下して戻ってきたのである。彼の父親と兄が彼を受け止めたが、落下の衝撃により彼らは骨折、少年自身も重傷を負った。だが命に別状はなかったし、不思議なことに、彼の体はそれから、どんどんしぼみ始めたのである。

医師が調べたところによると、少年は、長年自分は誰からも愛されていないと感じ、その悲しみとストレスから風船病を患った。家族は彼を慰め、励ましたが、その言葉をどうしても信じることが出来ず、それどころか、風船病を患った自分が、はやく空へ飛び立ち、消えてしまえばいいと思っているのだと、感じていた。

しかし、とうとう自分の体が地面を大きく離れ、ＳＨＯＯＴの予感を感じたとき、嘆き悲しむ家族や、必死に彼を繋いでいた鎖にしがみつき、一緒に飛び立とうとさえしている母の姿を目にした。彼は、自分は愛されていたのだと、はっきりと、強く、気付いたのだという。

結局彼は重傷を負いながらも地上に帰還した。今では、風船病の症例は消え、昔のようにやせっぽちの体で、家族と暮らしている。ただ、二年間ＴＥＲＭ２の状態を続けてきた彼にとって、久しぶりの重力は、相当なものであった。「地に足をつけて」歩く、ということがどれほど大変なことであるか、思い知らされたのだ。

彼のように「愛情」で避けることができるＳＨＯＯＴは、身体的な病というよりは、個人的な感情によるものなのではないか、というのがＳＨＯＯＴ自殺説を唱える学者の考察である。

さらに、ＳＨＯＯＴまでの日数に個人的な差があることも、その考察を強固にした。

「ＴＥＲＭ２」の浮遊が、地面から二センチほどであることは、全患者に共通していたが、ＴＥＲＭ２が始まってから数秒でＴＥＲＭ３、そしてＳＨＯＯＴが訪れる者や、数年後に訪れる者、数年経ってもＴＥＲＭ２を維持している者などがいた。その日数の長短は、年齢によるものではないか、元々の体調に影響されるのではないか、などと諸説が出たが、解明されないままであった。

結局、ＳＨＯＯＴには、無意識ではあるかもしれないが、患者本人の意思のようなものが介在しているのではないか、というのが、学者たちの意見であった。

それを受け、世界中の人たちは、「死にたい」と言う代わり、「飛びたい」と言うようになった。首吊《くびつ》りや入水や手首を切るなどの「原始的」な自殺方法は廃れ、元々「死にたい」と思っていた人間は風船病になることを望み、最終的にＳＨＯＯＴを欲した。それがどんなに時間のかかることであろうが、人間は誰しも、流行には敏感でいたいものなのである。何より「空に消える」ということほど、魅力的な「最期」はあるだろうか。

四月に浮き始めた私であったが、六月に入っても、ＴＥＲＭ２を維持していた。

担当医には、「あなたの思っている以上に、あなたの悩みやストレスは深い。あなたが無意識でも、体はずっとSOSを訴えていたのだ」、というようなことを言われていたが、結局原因が解明されていない病だ。医者は風船病という名称に寄り添うかのように、「ふわふわ」としたことしか言わず、私は一度しか病院には行かなかった。

気のもちようなのだ、と、両親は私を説得したし、膨らんだ私の体を、気体ではなく、質量の重い食べ物で太らせ、浮遊をやめさせようと努力してくれたが、私のつま先は決して地面に着くことはなかったし、いつしか両親も、私が浮遊していること自体、なかったことにしようとした。そもそも二センチの浮遊は、十一センチのヒールを履いた女の子たちよりも、目に見える変化は微々たるものだ。足元に目をやらず、ふらふらとした移動さえ無視すれば、両親にとって、私は依然、「ただの太った娘」であった。

三年前の私は、百六十センチ四十二キロの、外国の煙草のように細い、二十五歳の娘であったのだが。

私が幼い頃から、両親はそうだった。禍々《まがまが》しいことや不吉なことから目を逸《そ》らし、我が家は安泰である、とても平和である、と、思おうとした。弟が万引きを働いて補導されたときも、私が学校中からひどい苛《いじ》めにあっていることを知ったときも、弟を叱り、私を慰める代わり、事実から全力で目を逸らした。

弟は十六で家を出た。それから数年間連絡がなくても、まるで弟自体がこの家に存在しなかったように、母は食卓に三人分の食べ物を並べ、父は弟の部屋に自分のゴルフバッグや使わなくなった工具を置いた。いつしか私も、弟などいなかったのではないか、と思うようになり、「学校」と名のつくところに行くと必ず苛められた過去や、十七歳のある朝から学校に行かなくなり、それからずっと家にいることとさえ「なかったこと」なのではないかと思うようになった。つまり私は、自分という人間の存在すら怪しんだのだ。

そして、二十五歳のある日、胸が膨らんでいることに気付いた。

豊満になったのとは違う、と、すぐに分かった。それは異様に丸く、触れると、指を力強く弾《はじ》き返してきた。まるっきり、ゴムボールを触っているような感覚だった。

風船病だ、と認識するのに時間はかからなかったし、認識した後も、私は静かだった。それどころか、やっぱり、と安堵《あんど》しさえした。今思えば、すぐにTERM3、そしてSHOOTが訪れ、そのまま空の彼方《かなた》へ消えていかなかったことがおかしいほどだった。

私は、「地上」には、まったく用はなかったし、「地上」の誰も、私を必要としていなかった。

なかったのだ。

だが、私のＴＥＲＭ１は三年続き、四月の半ばにやっと、ＴＥＲＭ２の段階に入ったのである。その頃には、どこかでそれを待ちわびていたようなところさえあり、私は浮遊を歓迎した。

重力に捕らわれていないことは楽だった。今まで自分がどれほどの「重荷」を背負ってきたか、まざまざと感じられた。私はふわふわと浮き続け、できることなら一生このままでいたいとさえ思った。

しかし、風船病患者に対する社会の目は、徐々に辛辣《しんらつ》になりつつあった。初めこそ、その寓話《ぐうわ》的な状態から厚遇されてきた風船病であるが、結局新しい自殺願望の表れではないか、という見解が広まると、患者に対する風当たりは、きつくなってきた。中には、「さっさと飛んじまえ」とあしざまに患者を攻撃する人たちも現れた。そして、インターネットで流れたあるコマーシャルが、そういう人間たちの感情に、さらなる火をつけた。

コマーシャルは、このようなものである。

膝《ひざ》から下のない女の子が、車椅子から、こちらを見ている。画面に説明が出る。

『サリカ・十四歳、カンボジア在住。八歳のとき地雷を踏み、両脚を失う。』

サリカは、上を見上げる。空のアップ。青く、とても美しい。画面はサリカに戻る。決意に満ちた顔で、車椅子を動かすサリカ。

「それでも私は、地に脚をつけて歩くわ。」

サリカの言葉で、CMは終わる。

それはドイツ政府が作った風船病撲滅のためのCMであった。風船病の原因がストレスからくるものであるという学説を受け、元々は、風船病にならないよう国民を励ますために作られたものだったが、はからずもそれは、アンチ風船病患者たちの「飛んじまえ」思想を後押しすることになった。これほど辛《つら》い目に遭った女の子が「地に脚をつけて」歩いているというのに、風船病患者の奴らは、甘ったれだ、というわけだ。

日本でも、「地上に無用の奴は飛べ」というインターネットの書き込みや落書きが多く見られるようになった。

そしてある日、私の家に、そのチラシが投函《とうかん》された。

『お前には地上にいる資格はない。飛べ。』

チラシの存在は知っていた。風船病患者のポストへ恐怖新聞のように配達されるのだという噂が、ネットやテレビで流れていたからだ。

私は一度病院へ行った以外は、家から出ることはなかった。誰がどうやって私の存在を知ったのかは分からなかったが、私は打ちのめされた。そのときこそ、両親の愛情が必要であった。私は二十八歳だったが、求め続けた両親の愛情を初めて得るのに、遅すぎる年齢などあるだろうか。

しかし母は、そのチラシを見て、こう言った。

「大丈夫よ。あなたはここにいないことにするから。窓際には立たないでちょうだい。」

その夜、私にＳＨＯＯＴが訪れた。

私はやはり、「地上」にとって無用の人間であったのだ。

ＴＥＲＭ２の浮遊には、ふわふわと漂うような感じがあり、ゆりかごで眠っているような甘やかさがあったが、ＴＥＲＭ３はまったく違った。二センチを超えた上昇が始まると、こめかみがズキズキと痛み、内臓がぐう、と下に押しつけられた。そして、猛烈な吐き気を覚えたそのとき、体がぶん、と誰かに振り回されたように押し上げられた。ＳＨＯＯＴが始まったのだ。まるで、乱暴なジェットコースターに乗っているようだ、と、思う間もなく、私は天井を自身で破壊し、真っ暗な空に飛び出した。破壊の衝撃は相当のものだったが、空中に出ると、その衝撃を忘れるほど、強烈な耳の痛みを感じた。息が出来ず、風圧で四肢が体からちぎれ飛ぶのではないかと思った。

空を飛んでいる感動を味わうことなどなく、私はすぐに、意識を失った。


目を射貫《いぬ》く光に起こされ、私は目を覚ました。

覚ましたが、自分がまだ目をつむっていることには、しばらく気付かなかった。つむったまぶたの裏はむせかえるような黄金色をしており、乾いたにおいが鼻をくすぐった。私は、空にいた。

恐る恐る目を開けると、強烈な光が私の目を射《さ》す。慌てて目をつむったが、つむる直前、光と一緒に飛び込んできた光景を、私は忘れなかった。

たくさんの風船病患者が、ふわふわと、空に浮かんでいたのだ。

額に手をかざし、ゆっくりと目を開けた。

当たり前のことだが、そんな景色を、私は見たことがなかった。風船のように膨らんでいる人間が、不思議なほど律儀に等間隔を守って、ふわふわと、空に浮いているのだ。ダリだってカフカだって、こんな未来が訪れるとは、夢にも思わなかっただろう。美しく、不可解な景色を前に、私は驚きと感動で、声も出せずにいた。

　私の近くには、私を囲むように、四人の人間が浮かんでいる。図形を描くように、綺麗《きれい》に等間隔であった。二メートルくらいだろうか。美しい白人の女は若く、細い金髪で、東南アジア系の初老の男は、ずっと目をつむっている。ちぢれた黒髪と真っ黒い肌を持つ男は私と同じ年齢くらいで、はげ頭の男は、ぴんと尖《とが》った鷲鼻《わしばな》に、真っ青な目をしている。

「こんにちは。」

　金髪の女が、声をかけてきた。私は驚いて、彼女をじっと見つめた。彼女は二メートル先で、しっかりと浮いている。まるで、固い地面に立っているようだ。ふわふわとおぼつかない自分をもてあましながら、私も、恐る恐る返事をした。

「あの、こんにちは。」

　彼女は少し笑った。体は風船のように膨らんでいるが、こんなに美しい人を、生身で初めて見た。日本語が上手なのに驚いたが、次々に「こんにちは」と話しかけてきた他のふたりも、綺麗な日本語だった。

「みなさん、日本語が……？」

　東南アジア系の男は、目をつむったまま、動かなかった。眠っているようだった。

「あなた日本人なのね。私たちはそれぞれ母国語で話しているんです。でも、ここでは、なぜか通じるみたいなの。」

「そうなんですか。」

黒人の男も、はげ頭の男も、私を見てうなずいた。聞きたいことが山ほどあったが、今はまだ、この状況に感動していたかった。私は生きている。SHOOTの行く末が、大気中の爆発か気体化か、とは、誰が言ったのだろう。

「驚くのも、無理はありませんよ。私もこの状況を把握するのには、時間がかかりましたからね。私の名前は、セルジオといいます。地上ではブカレストにいました。」

鷲鼻の男がそう言った。美しい金髪の女は、

「私はエラ。地上ではLAにいたの。眠っているのはハディ。ホーチミンにいたみたいね。」

と言い、黒い肌の男は、

「僕はギヨーム、パリにいました。」

と言った。

十七歳から家を出ていない私だ。こんなたくさんの、しかも多国籍な人間たちに会ったことはなかった。「地上」であったら、怖気《おじけ》づいてしまうところだが、でも、こ

ない。

の特殊な状況では、素直に言葉が出た。何よりここには、隠れる場所など、どこにも

「私はハナ。東京にいました。」

「よろしく、ハナ。」

「よろしくお願いします。」

私はふわふわと揺れていたが、それは体内の気体がそうさせるだけのようだった。

ここは空の色をしていたが、風は吹かなかったし、雲も見えない。

「あの、ここは……。」

「私たちにも分からないの。空であることは間違いがないのだけど、地上にいたとき、

衛星にも映らなかったでしょう。そういう、エアポケットみたいな場所なのかもしれ

ないわね。私は、この場所に四年ほどいるんだけど、ここを天国って呼んでるわ。」

「四年も。」

四年間この場所に浮き続けているエラを、私はまじまじと見た。その顔は晴れやか

で美しく、自殺だとされるSHOOTを経験したような女性には、到底見えなかった。

「私は恐らく三年ほどいます。」

セルジオがそう言い、ギヨームは、

「僕は一ヶ月なんです。ハディが二年くらいいるらしいから、僕たちは新参者ですね。」

と言った。年齢も国籍もばらばらだったが、ＳＨＯＯＴを経験し、「地上」を捨てた、という独特の連帯感が、彼らを結び付けているようだった。

私は嬉《うれ》しくなった。「地上」では出来なかった友人を、初めて見つけたような気持ちだった。しかも、エラなどは、今まで見たこともないような美しい女性だ。長年しいたげられ、苛《いじ》められてきた私が、こんな美しい友人を得たことを、皆はどう思うだろうか。私は嬉しさのあまり、エラに笑いかけた。

そのとき、

「だめよ。」

と、エラが言った。

「え？」

「近づいてるわ、私に。」

膨らんだ指で、エラは私の体を指差した。なるほど私の体は、僅《わず》かだが、エラのほうに傾いていた。

「だめよ。」

「だめ？」

意味が分からなかった。

「ここでは、近づきすぎると、重力が発生するのよ。まっさかさまに、地上に落ちてしまうの。」

「そうなんですか。」

私は、急に怖くなった。すると、傾いていた体が、元に戻った。

「そう、それでいいの。人を信じたり、心を寄り添わせようとすると、重力が発生するの。だから、ここでは必要以上に親密になってはだめ。BALLOONISTになった理由や、SHOOTのきっかけを聞くことも禁止よ。自分の仲間がいたと勘違いして、親密になってしまうことがあるから。」

親密になってはいけない、と聞いて、私は自分の体が、ぷう、と、また膨らんだような気がした。すると不思議なことに、ふわふわと浮いていた自分の体が、しっかりと安定するのを感じた。

「いい？　ハナ。ここは本当に天国よ。口やかましい人間もいないし、人を信じて裏切られることもない。すべての人間が等間隔で、ただただ浮いているの。地上から、遠く離れた場所で。あなたも、人に傷つけられたり、人に裏切られたりして、それでここに来たんでしょう。誰も信じず、誰にも寄り添わずにいる限り、あなたはずっとここにいられる。皆共通の言語を持ち、悪意ある価値観に縛られることもない。あなたを悪く言う人はいないし、あなたを傷つける人もいないのよ。ほら、ハディのように、ずっとずっと眠っていることだってできる。」

私は、ハディを見た。ハディは、赤ん坊のような顔をして、じっと目をつむっていた。動かなかった。まるで母親の胎内に帰ったようだ、と思った。

「ハナ。戻りたくは、ないでしょう。地上には。」

私は「地上」を思い出した。

フォークダンスのとき、誰も私の手を取ってくれなかったこと。ひとり握り締めた手に、びっしょりと汗をかいていたこと。上靴に入っていた、カエルの死骸《しがい》。黒板に描かれた私の、悪意ある似顔絵。怪我をして帰って来た私の顔を、見もしなかった両親。「美しい」「可愛い」ことが最善のことであると訴え続ける、テレビや雑誌。

「戻りたくありません。」

エラは、私を見てうなずいた。その顔は、やはり、眩《まぶ》しいほどに美しかった。目を奪われまいと、顔をそむけると、ギヨームと目が合った。ギヨームの目は、夜のように真っ黒で、それ以上に黒い、なめした革のような肌は、ぼこぼこと穴が開いていて、レリーフのようだった。彼は、何も言わなかった。ただじっと、私を見ていた。

数日もすると、空に浮かんでいる退屈にも、周囲の人間との距離の取り方にも慣れた。私は元々ひとりだったのだ。押し付けがましい価値観がなく、何にも煩わされることのないここは、まさに天国だった。話しかければ、誰かしら答えてくれたし、目をつむっていれば、誰にも干渉されなかった。

時折、知らぬ間に患者が増えていた。

皆、最初の頃の私のように驚いていたが、やはり私のように、すぐに慣れた。傾いている人間を何人か見ることもあったが、重力が発生するほど近づきすぎ、落ちていく人間は、絶対にいなかった。傾きは数日で修正され、皆、美しいほどの等間隔を守って、浮いていた。

はるか彼方《かなた》に、本物の風船が見えることがあったが、それは風船病患者の最終形なのだと、エラが教えてくれた。何にも煩わされず、徹底的に自我を捨てた風船病患者は、本物の風船に、美しい風船になって、永遠に空を彷徨《さまよ》い続けることができるのだ。

「私は自分が誰か、まだはっきり分かっているから、だめね。本物の風船には、当分なれない。」

エラは言った。昔、雑誌の表紙でエラを見たこと、彼女が出演していた映画をそのとき思い出し、はっとしたが、私はそのことを言わずにいられるほどに、この世界に馴染《なじ》んでいた。

ハディは眠り続けたままだった。

セルジオは時折ぶつぶつと、ひとり何かを呟《つぶや》くことがあったが、彼の浮遊は安定していた。エラは、よく人と話をしていたし、私にも話しかけた。しかし、他の誰かが彼女に傾きだすと、頑なな沈黙でそれを拒んだし、彼女の体が誰かに傾くことは、決してなかった。

私が知っている限り、いちばん不安定なのは、ギヨームだった。

ギヨームは、見ているこちらが不安になるほど、ふわふわと揺れていた。体も、エラやセルジオと比べて、膨らみが足りないような気がした。私と目が合うと、ギヨームは笑いかけたが、見知らぬ人が挨拶《あいさつ》をかわすときのようなエラたちの笑顔と違い、彼の笑顔には、はっきりと「感情」があった。

彼の笑顔を見ると、時折私の体は揺れた。私はその揺れが怖くて、何度も気持ちを持ちなおさねばならなかった。エラに教えてもらったやり方で、私はいつも体勢を立て直した。「地上」を思い出すのだ。辛いことしかなかった、傷つき続けた「地上」を。

ギョームの笑顔は、私の体の「何か」を揺らしたが、「地上」を思い出すことで、私の体は揺れることをやめ、しっかりと浮かんだ。

それでも、ギョームは、私に笑いかけることをやめなかった。

ギョームの笑顔は、私を脅かした。彼を徹底的に無視することも出来たのだが、私はどうしても、彼を見てしまった。

彼の髪の毛は、見たこともないほどちぢれ、触らずとも、きしきしと固いだろうということが分かった。肌は黒檀《こくたん》のように黒く、地面を掘り返したような穴が無数に空いており、大きな鼻と奥まった目が、彼を臆病《おくびょう》に見せていた。しかし、その臆病さはそのまま、彼の優しさをあらわしていた。「地上」での彼は、その優しさのあまり傷つき、心を抉《えぐ》られてきたのだろう、ということは、容易に想像できた。SHOOTの理由を聞くことや想像することは、この場所では絶対的なタブーだったが、ギョームが心に負った傷、SHOOTに至った苦しみは、なぜかはっきりと、私の心を捉《とら》えた。

ある日、ハディのように、エラもセルジオも眠っていることがあった。

ギヨームはそのことに気付いていないようだったが、私は、どこかしら皆に疚《やま》しさを覚えながら、ギヨームに話しかけた。

「みんな眠ってしまいましたね。」

ギヨームは、初めて私に話しかけられたのが嬉《うれ》しかったのか、いつも以上の笑顔を見せた。私の体は僅《わず》かに揺れたが、まだそれほどのものでもないと自分に言い訳をし、彼を見ることをやめなかった。

「ここにきてから、僕は眠ったことがありません。」

私もそうだった。睡魔が私を襲うことはなかったし、その頃には、「横になって眠る」ことがどんなものであったかを、思い出すことも難しくなっていた。

「眠くならないですものね。」

「ええ。眠くならない。何かを食べたいとも思わないし、ダンスをしたいとも思わないし、何だか。」

「何だか?」

「何だかどんどん、人間の欲求を手放していってますね。」

「人間の欲求、ではないでしょう。それは、『地上』の欲求よ。」

「ええ、そうですね。人間だった頃の、と言ったらいいのでしょうか。」

　ギヨームの言い方には、自嘲《じちょう》的な、そして悲しげな気配がした。危ない、と思った。案の定、ギヨームはふわふわと揺れていた。

「あの風船を見てください。」

「本物の風船ね。」

　ギヨームが言うのは、エラに教えてもらった風船病患者の「最終形」だった。

「僕たちはいずれ、欲望をすべて捨てて、あの風船になるんですね。」

「そうですね。」

「それは、」

　ギヨームは、悲しげな目で私を見た。私の体は、さきほどより大きく揺れた。

「僕たちが望んでいることなのでしょうか。」

　私は体勢を立て直すため、「地上」のことを思い出した。

　どうしても見つからなかった体操着。弟の部屋を占拠する父の道具。私を指差し、何か耳打ちをしている男の子たち。

「何かを望み、欲し、それが得られなかったり、それに裏切られたりして、傷つくことを避けるために、僕たちは望みを捨てるのですか。そのために、地上を捨てたんでしょうか。」

これ以上話すと、危険だった。「地上」を思い出しても、私の体は、ぐらぐらと揺れたのだ。

「ギョーム。」

「ハナ、あなたの体は揺れています。あなたも、ここの毎日に、疑問を感じているのではないですか。」

「ギョーム、黙って。」

「ハナ。『地上』で何があったのかは分からない。苦しいことがあったから、僕もあなたも、ここに来たんだ。でも、何の感情も持たない、ふわふわと浮いているだけの風船になることが、僕たちの望みだったんだろうか。」

「黙って!」

私は膨らんだ手で、自分の耳を押さえた。

女の子たちの嘲笑《ちょうしょう》。鏡にうつった自分の可愛くない顔。こちらに背中を向け、驚くほど目を逸らすことに長《た》けた両親。決して誰からも求められることのなかった「地上」での私。

私は、徐々に自分の浮遊が安定していくのを感じた。そうだ。それでいい。何ものにも心を動かされてはいけない。この美しい等間隔を、秩序を、私は絶対に手放してはならない。これこそが、私の求めた「平等」なのだ。

完全に安定を取り戻したあと、ちらりとギョームを見ると、彼は、

「ごめんなさい。ハナ。」

と、詫《わ》びた。濡《ぬ》れた動物のような目だった。はっとするほど、美しかった。

いや、そのとき初めて気付いたのではなかった。ギョームの美しさに、私は出会ったときから気付いていた。黒い革のような肌。レリーフのように見える頬。ちぢれた、強い頭髪。洞窟《どうくつ》のように奥まった黒い目と、大きすぎる鼻。たっぷりとした唇から見える歯は真珠のように白く、私はその歯に触りたい、と、何度となく願った。

私は目をつむった。微塵《みじん》も眠くはなかったが、ギョームの面影を、頭から追い払うようにして、眠った。

私は「地上」を捨ててきたのだ。

しかし、それからもギョームと私は、よく話した。

大抵が他愛のないことで、私の体が揺れることはなかったが、それでも、相当の注意を払わないといけないときがあった。ギョームの何気ない仕草が、真夜中のような黒い目が、うっかり油断している私の体を、ぐらりと揺らすからだ。

最初は、エラとセルジオが眠っているときを選んでいたが、途中から、彼らが起きていても気にせず話すようになった。ふらふらと揺れている私たちを、エラとセルジオは不安げに見たが、結局は関係のないことだ、という顔をして、からっぽの笑顔で誰かに挨拶《あいさつ》をし、また眠った。彼らの浮遊は、徹底的に安定していた。

ギヨームは時折、膨らんだ体を揺らしてダンスを見せてくれることがあり、そんなとき、私は大きな声を出して笑った。「地上」でも、そこまで笑うことはなかったし、ガタガタに生えた私の歯、「地上」で何度も苛《いじ》めの対象になった私の歯を、ギヨームは「キュートだ」とさえ言った。私の体は大きく揺れ、それを見た「新参者」が、ここには風があるのかと、勘違いをしたほどだった。

ある日、気がついたら、ギヨームと私の体は、近づいていた。一・四メートル。秩序を壊されたエラは、私とギヨームを無視したし、セルジオは、歯を吸うことで私たちに警告した。

しかし、私とギヨームの距離が、二メートルに戻ることはなかった。

それどころか、日ごとに傾き、近づいていった。私は、自分の体が確実にしぼんできているのを感じたし、それは、ギヨームも同じだった。

そしてある日、とうとう、ギヨームは、私を見て、言ったのだった。

「ハナ、重力が働いたら、どうなるんだろう。」

それは、ギヨームの、私に触れたい、という告白であった。

私ははっきりと、感銘を受けた。だが、その感銘を自分のものにすることは、危険だということも、悲しいほどに分かっていた。私は歯噛《はが》みをするように言った。

「落下するのよ、地上に。だからわたしたちは、これ以上近づいてはいけないわ。」

「落下するのが、怖いかい。」

「怖いわ。」

「じゃあ、いつか、あの風船になるのが、君の望み？　裏切られるのが怖いから、何も望まなくなって、ただの風船になるのが。」

「分からないわ。でも私は、怖いの。『地上』で、私は散々傷ついてきた。何かを求めて、そして傷つくのが怖いのよ。」

「僕でも？　僕のことも怖い？」

ギヨームは、叱られた子供のような顔をした。私は愛《いと》おしさに、胸をつかれた。

「分からないわ。だって私、あなたのこと、何も知らないもの。」

「これから知っていったらどうなんだい。僕は君を傷つけるかもしれないし、僕が君に傷つけられるかもしれない。でも、何も感じない風船になるより、ふたりで傷ついてでも、生きていくことを、選ぶことはできない？」

「『地上』で？」

「そう、『地上』で。」

その言葉を聞くと、私は自分の体の芯《しん》が、きゅう、と固くなるのを感じた。私が傷つき、捨ててきた「地上」。忌まわしい思い出しかないあの「地上」で、もう一度重力を、感情の「重さ」を感じて生きていくことなど、出来るのだろうか。この私に。

「ハナ。」

ギヨームは、濡れた目で、まっすぐ私を見ている。その頰に、唇に、私は触れたいと思った。強く。ギヨームは、どんどん私に傾いてきている。

「だめよ！」

そのとき、エラが叫んだ。しばらく沈黙を続けてきた彼女が、久しぶりに発した言葉だった。

「落下がどれほど危険なことか、分かっているの？落下には暗闇があるし、恐ろしく冷たい風があるし、凶暴な鳥たちだっている。無事に『地上』に着いたとしても、あなたたちは、言葉も分かり合えない、国籍をたがえた人間になるのよ！」

そうだ。

私とギョームがこうして話し合えているのも、「この場所」の持つ、特殊な力のせいだ。「地上」に降りたら、私たちは国境をいくつも越えた場所に住み、言葉も分からず、肌の色も文化も、歴史も違う、人間同士になるのだ。私たちはその壁を、越えられるのだろうか。この等間隔を、秩序を崩し、悪意ある価値観や、蛇のように絡みつく蔑視《べっし》を、撥《は》ねつけることが出来るのだろうか。

私は、大きく首を振った。

「ギョーム、やっぱり無理だわ、私には！　人と触れ合ったことさえない私が、言葉も分からない、国籍も肌の色も違うあなたと一緒にいるなんて、無理よ！」

私の大きな声は、他の風船病患者たちの注意をひいた。こんなにたくさんの人に見られたことは初めてで、私は怖かった。しかし、私の恐怖を見てとったギョームは、私以上に大きな声で、叫んだ。

「ハナ。僕を見て、僕だけを見るんだ！」

私はすがるように、彼を見た。一・一メートル。お互い手を伸ばせば触れられる場所に、彼はいた。

「ハナ、聞いて。僕の祖先は、迫害を受けた。まったくいわれのない迫害だ。そして僕は、この容貌《ようぼう》と臆病《おくびょう》な性格のせいで、小さな頃から苛められてきた。僕は人間が、その悪意が怖かった。世界を憎んだ。みんなが僕を攻撃する、そんな世界を捨てて、ここに来た。でも、ハナ。聞いて。僕は、君に会って、君と話をして、何かを信じて、求めることの幸せを思い出した。もし裏切られたとしても、社会から中傷を食らっても、それでも、誰かを信じることの素晴らしさを、僕は思い出したんだ。君が好きだ。」

「信じるのは愚かよ、ギヨーム！　ハナ！　誰もあなたたちを守ってくれないわ！　社会は、決められた価値観に私たちをあてはめ、それから外れようとすると、猛攻撃を加えてくる。そんな愚かな『地上』に、あなたたちは戻りたいっていうの？」

エラが、そう叫んだ。私は、エラが重度の拒食症になってスクリーンから姿を消したという過去のゴシップを、思い出していた。エラは美しい。眩《まぶ》しいほどだ。でもその美しさの裏で、彼女はどれだけ傷ついてきたのだろう。

「人間は愚かだ、でも、だからこそ尊いんだよ！」

ギヨームは、ほとんど泣き出しそうになりながら、そう叫んだ。

「僕は風船にはなりたくない。等間隔のまま、傷つかない代わり、誰とも寄り添うことなく、たったひとりで浮き続ける風船には、なりたくない。僕も『地上』は怖い。

でも、恐怖にかられても、人に裏切られて傷ついても、それでもまた、人間を信じて、何度も傷ついて生きる、人間でいたいんだ。ハナ！」

「ギヨーム。」

「ハナ、君も僕も、傷つけられるかもしれない。恐ろしい猛攻撃の渦中に飛び込んで、いわれのない迫害を受けるかもしれない。でも、僕は君と『人間』でいたい。」

ギヨームの体は、どんどんしぼんできている。私の体もしぼんでいるのは、見なくても分かった。

「ハナ、僕たちは、落下を恐れてはいけない。襲ってくる闇を、恐ろしい冷たさを、凶暴な鳥を、恐れてはいけない。『地上』を、迫害を、国境を恐れてはいけない。」

私は泣いていた。距離は〇・八メートル。その頃には、私の内臓が、ずしり、ずしりと、私を圧迫していた。

「だめよ、ハナ！」

エラが叫ぶ。しかし、私は見た。

あれほど安定した浮遊を保っていた、まるで固い地面に立っているようだったエラが、ふわふわと、おぼつかない浮遊を始めていた。

エラも、泣いていた。その涙は、はっきりと「人間」の涙だった。

「ハナ。」

ギヨームは、私に手を伸ばした。あれほど触れたかった、ギヨームの体がすぐそこにあった。そのとき知った。ギヨームは、とてもやせっぽちの男だったのだ。彼の手は筋ばっていて、黒い皮膚と茶色い皮膚が、まだらに指を包んでいる。

私はそれを、美しいと思った。私はそれに、触れたかった。

「ハナ、君が好きだ。」

私は、ギヨームの手を取った。

その途端、内臓が全部、落っこちたような衝撃が、私を襲った。

あ、と声を出す間もなく、私たちは落下した。

まとわりつく闇、恐ろしいほど冷たい風の中、凶暴な鳥たちの羽ばたきを耳にしながら、私たちは、落ちていった。

「ギヨーム、あなたが好き!」

私たちは、まっさかさまに、落ちていった。

「地上」を目指して、落ちていった。

私たちは、史上初めての「落下する風船病患者」になった。

それ以降、空から風船たちが手を取り合って次々と落下してくるのを、世界中の人が目撃することになった。

解説

又吉直樹（ピース）

尊敬する作家の素晴らしい作品の巻末に、自分のような門外漢が駄文を連ねることなどおこがましい。だが折角の機会なので、僭越《せんえつ》ながら恥をしのんで想いを綴《つづ》らせて戴《いただ》きたい。

『炎上する君』は僕にとって本当に思い入れの強い作品だ。奔放な創造力と個人の存在意義に対する痛切なまでの疑念から生み出された、この短編集は僕の心を摑《つか》んで離さなかった。

表題作「炎上する君」は、二人の女性が銭湯の湯船に入り、「足が炎上している男」の噂をする場面から幕を開ける。ここでまず著者の稀有《けう》な発想力に驚かされる。そして軽妙な言葉の連なりを追っていくと奇想天外な世界が目の前に現れる。時折、豊潤な才能に裏打ちされた語句が不規則な方向に弾み、脳内の風景を一変させてくれるのが心地好《よ》い。気がつくと自分が芸人であることさえ忘れ笑っている。それでも、一風かわった物語の中で読み手が迷子にならないのは、己の存在意義に苦悩する登場人物にリアルな共感を持てるからだろう。そして、何より著者が紡ぐ言葉からこぼれる優しさと熱に身に覚えがあるからだろう。西さんの作品全てに共通することだが、物語の核心部分に内包された深刻なテーマと笑いが乖離《かいり》せず一つの物語になるのは選ばれた才能だと思う。笑いのセンスが作り物ではなく、元々自身に感覚として備わっているからこそ成せる技だろう。

君は戦闘にいる。恋という戦闘のさなかにいる。誰がそれを、笑うことが出来ようか。君は炎上している。

この言葉は、自分の背中に彫りたいと思えるほど美しく、強い。

その他の作品も、「女性性」や「存在意義」に対する疑念という共通項を持ちながら、それぞれ異なった語り口や特異な表現によって著者の引き出しの多さを存分に楽しめる。

「太陽の上」、中華料理屋「太陽」の女将《おかみ》は、主人と数年間セックスレスのため、店のアルバイトと不倫をしている。その性行為の最中に、主人を呼ぶ時にしか使わない「あんたぁ」と女将は叫ぶ。ひたすら主人と繋《つな》がることを求める姿は健気《けなげ》なまでに本能的だ。それを聞いた、三〇一号室に住む「あなた」は女将の主人への想いを知り、自分が両親の愛によって生まれて来たことに気付かされる。胎児のように部屋に引きこもっていた「あなた」は、再び生まれ直す。そう言えば赤児は泣き叫び誕生する。我々も悲惨な状態に陥ると泣いたり、叫んだりする。あの時、我々は絶望しそうになりながらも再び誕生しようとしているのかも知れない。この物語は、「あなた」と、自分が呼びかけられているような二人称で始まる。「私」で書かれる一人称や、固有名詞で書かれる三人称に比べて珍しく、書き手の手腕が問われる手法だが、胎内にいる子供に母親が愛を優しく囁《ささや》きかけるような文章で紡がれていて温かい。

「空を待つ」は、拾った携帯に届いたメールの相手に、遊び心で返信したことから、次第にそのメールのやり取りが自分の心の支えになって行くという物語。

物語終盤で、主人公は**「私は、誰だろうか。」**と自分の存在を曖昧《あいまい》に感じる場面がある。そのイメージは、そのまま性交のイメージへと繋がって行く。自分が男か女かも解らないという感覚は生物の遺伝子に組み込まれた太古のものだ。このイメージが降りてくる夕暮れの描写が印象深かった。夕暮れは、「黄昏《たそがれ》」ともいう。「黄昏」の語源は、「誰《た》ソ彼《かれ》」であり、日が暮れ始め、人の姿が曖昧になり「彼は誰ですか？」という状態に由来するらしい。

物語内の設定と、言葉の本来の意味が一致している。これは言葉が成立する以前からあったイメージを、既存の言語体系とは別のラインで具現化しようとする、著者の創造力がもたらした必然であるような気がしてならない。西加奈子という作家の創造性は破格なのである。

「甘い果実」では幻想的な展開で脳を揺らしてくれる。現実に存在する作家山崎ナオコーラさんと全く同じ名前を持つ、作家が登場するユニークで斬新な小説。作家になることを夢見ながら本屋で働く主人公の「私」は、プロとして活躍する山崎ナオコーラに愛憎のような感情を抱いている。自分と同世代の人物が活躍しているのを目の当たりにした時、相手の才能に対して疑問を持てる時は、文句を言いながらも気楽なものだ。しかし、背筋に冷たいものを感じる程の才能を感じた時、これは苦しい。そのような鬱屈《うっくつ》した感情を書いているのに、神出鬼没変幻自在の山崎ナオコーラの描き方が凄《すさ》まじく面白い。最後のサイン会の場面で本当は男性の姿をしていた山崎ナオコーラに差し出されたマンゴーを指ごと食べる場面は圧巻。官能的で読み手のこちらまで五感が冴《さ》え、甘い果実の味を思い唾液《だえき》が出た。

「トロフィーワイフ」は、しなやかな文章が素敵だ。かつて若くして初老の男性に嫁いだ宇津木ひさ江は七十八歳になり、亡くなった夫の遺した財産で、悠々とした生活を送っている。若く美しい孫と戯れる光景は優雅で美しく、二人のやり取りは微笑ましい。ひさ江は、若い頃に誰かから言われた「トロフィーワイフ」という概念を植え付けられている。以来、自分は美しくあり続けねばならない、そこにしか自分の価値は無いと信じている。人の所有物になり、自ら判断や選択をする機会が減るのは恐ろしい。人間にとって重要な何かが欠落する場合も多い。トロフィーワイフという別称は呪いでもある。

ひさ江の孫に恋し、翻弄される郵便配達人の描き方も印象深い。自分の存在意義を見失う時の多くは、世界を測る支点を他者に置いている。その支点が安定していなければ、自分を見失ってしまう。

「私のお尻」の主人公は、自分の美しい「お尻」に絶対的な自信を持っている。同時に自分を超越し周囲から称《たた》えられる「お尻」に対して愛憎を抱くようになる。文中に『作家が、あまりに売れすぎた自分の作品を絶版にすることがあります。』という文章がある。作家にとっての現在は最新作にあるはずなのに、過去の作品ばかりを取り上げられると疑問にも感じるだろう。この作品では自己の存在意義に対する疑念の比較対象が他者ではなく、自分の中の一部や、自分の過去であったりする部分が興味深い。それに太宰が登場するなど、主題に沿った自由な遊びが面白い。

「舟の街」は、白昼夢さながらの新鮮な読み心地だった。

三年付き合った彼氏を、容姿の可愛い親友に奪われ、女性としての尊厳や自信が揺らいでしまう出来事に遭遇した「あなた」は「舟の街」に辿《たど》り着く。そこの住人の造形が又面白い。「どうです？　エクレアでもすごく見つめませんか？」と誘ってくる人物など、思わず声を出して笑ってしまう。読者としての僕を充分に満足させながら、芸人としての僕を不安にさせる。

『あなたの意識があなたの体から抜け出していくと思ったときと同じように、あなたと、空気の間の境界線がぼやけ、他の皆のそれらと混ざり合い、あなたは水の中で、足を抱えて浮いているような、静かな安心感の中にいた。』

何か精神的な動揺があり、何も考えられずにいる状態がある。自分という容《い》れ物の中には解決策は無く、いつまでも原因の粒子が容れ物に残ったままの時がある。そういう時は、容れ物を拡げたり壊したりして、もっと大きな世界に原因の粒子を混ぜて循環させたり、中和させる必要がある。苦しい時に、山や川などの自然に身を置くとストレスが和らぐという経験は誰もがあると思うが、この「舟の街」は古代から現代まで続く自然信仰や神話と根底で共通する物語だと思った。やはり概念に囚《とら》われず、文化や言葉が成立する以前まで感覚を遡《さかのぼ》り、独自の感性で対象にアプローチして行く著者だからこそ、書ける物語のように思えた。

「ある風船の落下」は、ストレスが溜《た》まると風船のように身体が膨らみ最終的には空中に飛んで行ってしまうという恐ろしい奇病。コミカルに描かれていて、笑いながら読んでいたが、その状態が、ある種の自殺だと噂されるようになってから、俄《にわか》にシリアスになっていく。

車椅子の少女が**「それでも私は、地に脚をつけて歩くわ。」**と言ってのけるCMは強烈なインパクトがあり、人々に与える影響は絶大だろう。しかし、やはり我々の煩《はん》悶《もん》は誰かの苦悩と比較されなければならないのか。深刻な状況にあろうとも前向きに歩いて行ける人は本当に素晴らしいし、尊敬も出来るが、我々の些《さ》細《さい》な苦しみは、誰かの重い苦しみと比較され、苦しみと感じること自体が悪であるように思わなければならないのか？　僕達は自分の悩みさえも悩んではいけないのか？　風船化して空中に飛んで行った者達の世界は一見天国のように見えるが、お互いに信頼した後に裏切られることを恐れて一定の距離を保つ関係は息苦しくもある。生きていれば苦しみも悲しみも裏切りもある。それを覚悟した上で、生きていくことに活路を見いだす結末は一連の存在意義に対する疑念というテーマを締め括《くく》るのに相応《ふさわ》しく、強い説得力があった。

僕らが住む世界は非常に面倒だ。どのような楽しい物語を読んでいても、その裏にあるきな臭い現実は容易に想像出来てしまう。しかし、この物語達は現実から逃げず、真っ向から対峙《たいじ》し生きることを肯定してくれる人間讃歌《さんか》だ。

現実も常識も審美眼も脳髄も肉体も明日《あす》の予定も全て棄てて、この物語達に感情だけで寄り添ってみようと思った。無遠慮に笑い、深い哀愁に支配され、物語の美しい帰結に涙し、温かい気持ちに溺《おぼ》れる自分を束の間許そうと思った。そのように思える本と出会えたのは本当に幸運だ。この本は、僕の苦悩を燃やしてくれた。『炎上する君』以降に発表された西作品も全てそうだ。必ず生きることを肯定してくれた。『白いしるし』も『円卓』も『漁港の肉子ちゃん』も『地下の鳩』も『ふくわらい』もそうだ。恐らく次も、次も、次も、ずっとそうだ。

絶望するな。僕達には西加奈子がいる。

本書は二〇一〇年四月に小社より刊行された
単行本を加筆修正の上、文庫化したものです。

炎上《えんじょう》する君《きみ》

西《にし》 加《か》奈《な》子《こ》

平成24年 11月25日　初版発行
令和5年 9月30日　27版発行

発行者●山下直久

発行●株式会社KADOKAWA
〒102-8177　東京都千代田区富士見2-13-3
電話　0570-002-301(ナビダイヤル)

角川文庫 17680

印刷所●株式会社KADOKAWA
製本所●株式会社KADOKAWA

表紙画●和田三造

ISBN978-4-04-100567-5　C0193

角川文庫発刊に際して

角川源義

第二次世界大戦の敗北は、軍事力の敗北であった以上に、私たちの若い文化力の敗退であった。私たちの文化が戦争に対して如何に無力であり、単なるあだ花に過ぎなかったかを、私たちは身を以て体験し痛感した。西洋近代文化の摂取にとって、明治以後八十年の歳月は決して短かすぎたとは言えない。にもかかわらず、近代文化の伝統を確立し、自由な批判と柔軟な良識に富む文化層として自らを形成することに私たちは失敗して来た。そしてこれは、各層への文化の普及滲透を任務とする出版人の責任でもあった。

一九四五年以来、私たちは再び振出しに戻り、第一歩から踏み出すことを余儀なくされた。これは大きな不幸ではあるが、反面、これまでの混沌・未熟・歪曲の中にあった我が国の文化に秩序と確たる基礎を齎らすためには絶好の機会でもある。角川書店は、このような祖国の文化的危機にあたり、微力をも顧みず再建の礎石たるべき抱負と決意とをもって出発したが、ここに創立以来の念願を果すべく角川文庫を発刊する。これまで刊行されたあらゆる全集叢書文庫類の長所と短所とを検討し、古今東西の不朽の典籍を、良心的編集のもとに、廉価に、そして書架にふさわしい美本として、多くのひとびとに提供しようとする。しかし私たちは徒らに百科全書的な知識のジレッタントを作ることを目的とせず、あくまで祖国の文化に秩序と再建への道を示し、この文庫を角川書店の栄ある事業として、今後永久に継続発展せしめ、学芸と教養との殿堂として大成せんことを期したい。多くの読書子の愛情ある忠言と支持とによって、この希望と抱負とを完遂せしめられんことを願う。

一九四九年五月三日

角川文庫ベストセラー

海の底　有川　浩

四月。桜祭りでわく米軍横須賀基地を赤い巨大な甲殻類が襲った！　次々と人が食われる中、潜水艦へ逃げ込んだ自衛官と少年少女の運命は!?　ジャンルの垣根を飛び越えたスーパーエンタテインメント！

ナラタージュ　島本理生

お願いだから、私を壊して。ごまかすこともそらすこともできない、鮮烈な痛みに満ちた20歳の恋。もうこの恋から逃れることはできない。早熟の天才作家、若き日の絶唱というべき恋愛文学の最高作。

一千一秒の日々　島本理生

仲良しのまま破局してしまった真琴と哲、メタボな針谷にちょっかいを出す美少女の一紗、誰にも言えない思いを抱きしめる瑛子——。不器用な彼らの、愛おしいラブストーリー集。

クローバー　島本理生

強引で女子力全開の華子と人生流され気味の理系男子・冬治。双子の前にめげない求愛者と微妙にズレてる才女が現れた！　でこぼこ4人の賑やかな恋と日常。キュートで切ない青春恋愛小説。

クローズド・ノート　雫井脩介

自室のクローゼットで見つけたノート。それが開かれたとき、私の日常は大きく変わりはじめる——。『犯人に告ぐ』の俊英が贈る、切なく温かい、運命的なラブ・ストーリー！

角川文庫ベストセラー

わくらば日記　朱川湊人

私の姉さまには不思議な力がありました。その力は、ある時は人を救いもしましたが、姉さまの命を縮めてしまったのやもしれません。少女の不思議な力が浮かび上がらせる人間模様を、やるせなく描く昭和事件簿。

わくらば追慕抄　朱川湊人

鈴音とワッコ姉妹の前に現れた謎の女・御堂吹雪は、鈴音と同じ能力を悪用して他人の秘密を暴き、恐喝の種にしている。その憎しみに満ちたまなざしに秘められた理由とは？　優しくて哀しいシリーズ第2弾。

晩年　太宰治

自殺を前提に遺書のつもりで名付けた、第一創作集。〝撰ばれてあることの　恍惚と不安と　二つわれにあり〟というヴェルレエヌのエピグラフで始まる「葉」、少年時代を感受性豊かに描いた「思い出」など15篇。

女生徒　太宰治

「幸福は一夜おくれて来る。幸福は――」多感な女子生徒の一日を描いた「女生徒」、情死した夫を引き取りに行く妻を描いた「おさん」など、女性の告白体小説の手法で書かれた14篇を収録。

走れメロス　太宰治

妹の婚礼を終えると、メロスはシラクスめざして走りに走った。約束の日没までに暴虐の王の下に戻らねば、身代わりの親友が殺される。メロスよ走れ！　命を賭けた友情の美を描く名作。

角川文庫ベストセラー

斜陽　太宰治

没落貴族のかず子は、華麗に滅ぶべく道ならぬ恋に溺れていく。最後の貴婦人である母と、麻薬に溺れ破滅する弟・直治、無頼な生活を送る小説家・上原。戦後の混乱の中を生きる4人の滅びの美を描く。

人間失格　太宰治

無頼の生活に明け暮れた太宰自身の苦悩を描く内的自叙伝「人間失格」。家族の幸福を願いながら、自らの手で崩壊させる苦悩を描いた絶筆「桜桃」を収録。

ヴィヨンの妻　太宰治

死の前日までに13回分で中絶した未完の絶筆である表題作をはじめ、結核療養所で過ごす20歳の青年の手紙に自己を仮託した「パンドラの匣」、「眉山」など著者が最後に光芒を放った五篇を収録。

ろまん燈籠　太宰治

退屈になると家族が集まり〝物語〟の連作を始める入江家。個性的な兄妹の性格と、順々に語られる世界が重層的に響きあうユニークな家族小説。表題作他、バラエティに富んだ七篇を収録。

津軽　太宰治

昭和19年、風土記の執筆を依頼された太宰は三週間にわたって津軽半島を一周した。自己を見つめ、宿命の生地への思いを素直に綴り上げた紀行文であり、著者最高傑作とも言われる感動の一冊。

角川文庫ベストセラー

時をかける少女〈新装版〉　筒井康隆

放課後の実験室、壊れた試験管の液体からただよう甘い香り。このにおいを、わたしは知っている——思春期の少女が体験した不思議な世界と、あまく切ない想いを描く。時をこえて愛され続ける、永遠の物語！

日本以外全部沈没　パニック短篇集　筒井康隆

地球の大変動で日本列島を除くすべての陸地が水没！　日本に殺到した世界の政治家、ハリウッドスターなどが日本人に媚びて生き残ろうとするが。時代を超越した筒井康隆の「危険」が我々を襲う。

陰悩録　リビドー短篇集　筒井康隆

風呂の排水口に○○タマが吸い込まれたら、自慰行為のたびにテレポートしてしまったら、突然家にやってきた弁天さまにセックスを強要されたら。人間の過剰な「性」を描き、爆笑の後にもの哀しさが漂う悲喜劇。

夜を走る　トラブル短篇集　筒井康隆

アル中のタクシー運転手が体験する最悪の夜、三カ月以上便通のない男の大便の行き先、デモに参加した女子大生を匿う教授の選択……絶体絶命、不条理な状況に壊れていく人間たちの哀しくも笑える物語。

佇むひと　リリカル短篇集　筒井康隆

社会を批判したせいで土に植えられ樹木化してしまった妻との別れ。誰も関心を持たなくなったオリンピックで黙々と走る男。現代人の心の奥底に沈んでいた郷愁、感傷、抒情を解き放つ心地よい短篇集。

角川文庫ベストセラー

くさり
ホラー短篇集
筒井康隆

地下にある父親の実験室をめざす盲目の少女。ライフルを手に錯乱した肥満の女流作家。銀座のクラブに集った硫黄島での戦闘経験者。シリアスからドタバタまで、おぞましくて痛そうで不気味な恐怖体験が炸裂。

出世の首
ヴァーチャル短篇集
筒井康隆

物語、フィクション、虚構……様々な名で、我々の文明に存在する「何か」。先史時代の洞窟から、王朝、戦国をへて現代のTVスタジオまで、時空を超えて現れるその「魔物」を希求し続ける作者の短篇。

きりこについて
西加奈子

きりこは「ぶす」な女の子。小学校の体育館裏で、人の言葉がわかる、とても賢い黒猫をひろった。美しいってどういうこと？　生きるってつらいこと？　きりこがみつけた世の中でいちばん大切なこと。

参加型猫
野中柊

五匹の捨て猫が取り持った縁で結婚した勘吉と沙可奈。穏やかで前向きな二人に「参加型」猫チビコちゃんが加わった、新しい街での新しい生活――。ふんわり胸があったかくなる、とびきりキュートな恋愛小説。

草原の輝き
野中柊

母は弟を道連れにして死んだ。辛い記憶はずっと、なつきを苦しめた。最愛の人と結婚しても、自らの幸せを受け入れることができないほど……圧倒的な悲しみを胸にたたえた、ゆるやかな回復と再生の物語。

角川文庫ベストセラー

きみの歌が聞きたい　野中柊

幼なじみの絵梨と美和。夫に恋人がいることを知りながら、淡々と暮らす美和。女の子の家を転々としながら、美和と週1度の関係を持つ少年ミチル。静まりかえった世界に気持ちがじんとしみわたる魂の物語。

銀の糸　野中柊

子どもの頃にあこがれた赤い糸なんて、この世の中にはたぶん存在しないけど……現代を生きる今時の女子が意志の力で関係をつなぐ、そんな「銀の糸」ならあるのかも。幸福な恋愛を味わう「婚活前夜」小説集。

放火《アカイヌ》　久間十義

風俗店と消費者金融が入居する、東京・池袋の雑居ビルで爆発を伴った火災が発生！　従業員と客、19名の死傷者を数える大惨事となった。捜査一課の黒田は、警察上層部の動きに怪しい匂いをかぎ取るのだが。

鳥人計画　東野圭吾

日本ジャンプ界期待のホープが殺された。ほどなく犯人は彼のコーチであることが判明。一体、彼がどうして？　一見単純に見えた殺人事件の背後に隠された、驚くべき「計画」とは!?

探偵倶楽部　東野圭吾

「我々は無駄なことはしない主義なのです」――冷静かつ迅速。そして捜査は完璧。セレブ御用達の調査機関〈探偵倶楽部〉が、不可解な難事件を鮮やかに解き明かす！　東野ミステリの隠れた傑作登場!!

角川文庫ベストセラー

さいえんす？　東野圭吾

「科学技術はミステリを変えたか？」「男と女の〝パーソナルゾーン〟の違い」「数学を勉強する理由」……元エンジニアの理系作家が語る科学に関するあれこれ。人気作家のエッセイ集が文庫オリジナルで登場！

殺人の門　東野圭吾

あいつを殺したい。奴のせいで、私の人生はいつも狂わされてきた。でも、私には殺すことができない。殺人者になるために、私には一体何が欠けているのだろうか。心の闇に潜む殺人願望を描く、衝撃の問題作！

ちゃれんじ？　東野圭吾

自らを「おっさんスノーボーダー」と称して、奮闘、転倒、歓喜など、その珍道中を自虐的に綴った爆笑エッセイ集。書き下ろし短編「おっさんスノーボーダー殺人事件」も収録。

さまよう刃　東野圭吾

長峰重樹の娘、絵摩の死体が荒川の下流で発見される。犯人を告げる一本の密告電話が長峰の元に入った。それを聞いた長峰は半信半疑のまま、娘の復讐に動き出す——。遺族の復讐と少年犯罪をテーマにした問題作。

使命と魂のリミット　東野圭吾

あの日なくしたものを取り戻すため、私は命を賭ける——。心臓外科医を目指す夕紀は、誰にも言えないある目的を胸に秘めていた。それを果たすべき日に、手術室を前代未聞の危機が襲う。大傑作長編サスペンス。